البترْا

رائِد بدِر

Petra

Levantine Arabic Reader – Book 5
(Jordanian Arabic)
by Raed Bader

lingualism

ISBN: 978-1-949650-47-1

Written by Raed Bader

Edited by Ahmed Younis and Matthew Aldrich

English translation by Raed Bader and Matthew Aldrich

Cover art by Duc-Minh Vu

Audio by Eyyad ElSaqqa

website: www.lingualism.com

email: contact@lingualism.com

Introduction

The **Levantine Arabic Readers** series aims to provide learners with much-needed exposure to authentic language. The fifteen books in the series are at a similar level (B1-B2) and can be read in any order. The stories are a fun and flexible tool for building vocabulary, improving language skills, and developing overall fluency. **This book is specifically Jordanian Arabic.**

The main text is presented on even-numbered pages with tashkeel (diacritics) to aid in reading, while parallel English translations on odd-numbered pages are there to help you better understand new words and idioms. A second version of the text is given at the back of the book, without the distraction of tashkeel and translations, for those who are up to the challenge.

Visit the **Levantine Arabic Readers** hub at **www.lingualism.com/lar**, where you can find:

- **free accompanying audio** to download or stream (at variable playback rates)

- a **guide** to the Lingualism orthographic (spelling and tashkeel) system

- a **blog** with tips on using our Levantine Arabic readers to learn effectively

البترْا

"رامي، شو رأْيَك نْروح رِحْلِة؟ أنا وإنْتَ لحالْنا؟"

"آه، ليْش لأ؟ ويْن نْروح؟"

"عَ البترْا."

"متى نْروح؟"

"يوْم عيد ميلادي."

"صحّ، عيد ميلادك قرّب. طيِّب، إمّك وأبوك بيوافْقوا؟"

"أنا مُش وَلد صْغير. صار عُمْري ٣٠ سنة، وبعْدين إنْتَ معي."

"بسّ يا عزيز، إنْتَ عارِف إنّو أبوك وإمّك ما بيطيقوني."

"هاد مُش إشي جْديد. مِن أيّام المدْرسِة وهُمِّ بيحاوْلوا يْفرّْقونا عن بعض."

"وكمان أنا مْفلِّس. ما معي مصاري."

"ما في مُشْكلِة. أنا بدبِّرْها."

"طيِّب ماشي، أنا مْوافِق. رح يْكون أحْلى عيد ميلاد."

Petra

"Ramy, what do you think of going on a trip? Just you and me?"

"Yes, why not? Go where?"

"To Petra."

"Go when?"

"On my birthday."

"Right, your birthday is soon. And will your mom and dad agree?"

"I'm not a child. I'm 30 years old now. Plus, you are with me."

"But Aziz, you know that your parents can't stand me."

"That's nothing new. They've been trying to separate us since we were in school."

"Also, I am broke. I don't have money."

"No problem. I'll handle it."

"Well, I agree. It'll be the best birthday."

"رح أخبرّْهُم وأقولّك عشان تْجهِّز حالك."

❖ ❖ ❖

أنا عزيز أحْمد، شابّ أُرْدُني. ما كمّلِت تعْليمي لأسْباب صحّية. عُمْري ٣٠ سنِة ولِسّا عايِش مع أهْلي. ما اتْزوّجِت وَلا عُمْري حتّى اتْعرّفِت على بِنِت. عِنْدي صاحِب واحد، رامي، صاحْبي مِن أيّام المدْرسِة. كُنّا نُدْرُس مع بعض. وكْتير كان يْبات عِنْدي ونُقْعُد نِحْكي للصُّبْح.

بسّ أهْلي ما بيحِبّوه لإنُّهْم بيفكّروا إنّو إلو تأْثير سلْبي عليّ. وعلى حَياتي الاجْتِماعية، لأنّو مِن عيْلِة فقيرة وإحْنا أغْنِيا. حاوَلوا كْتير يْفرّْقونا ولمّا شافو إنّو ما في فايْدِة، طلبوا منّي إنّي أشوفو في البيْت وما نِطْلع على أماكِن عامِّة. وافقِت عشان أرْتاح مِن نقُّهْم. هلّأ بِدّي أسافِر معو تلات لَيالي عَ البتْرا. مِش عارِف شو رح تْكون ردِّةْ فِعِلْهُم بسّ يِعْرفوا.

قبِل يوْميْن مِن عيد ميلادي، كُنْت بتْعشّى مع أبوي وإمّي في البيْت. وإحْنا بْناكُل إمّي سألتْني: "عزيز، شو بدِّك نْجيبْلك أنا وأبوك هدية في عيد ميلادك؟"

ردّيْت وبِدون تردُّد: "رِحْلِة للْبتْرا لمُدِّةْ تلات لَيالي."

سألت بابا: "أحْمد، بْنِقْدر نْروح على البتْرا تلات لَيالي؟ عِنْدك وَقِت؟"

"I'll tell them and let you know you to get ready."

I am Aziz Ahmed, a Jordanian guy. I did not complete my education for health reasons. I am 30 years old and still living with my family. I did not get married or even go out on a date. I have one friend, Ramy, my friend from my school days. We used to study together, and he often slept over. We would talk until morning.

But my family doesn't like him because they think that he has a bad influence on me and my social life–because his family is poor and we are rich. They have tried a lot to separate us, and when they gave up, they asked me to meet him at home, not in public places. I agreed in order to get rid of the nagging. Now I want to travel with him for three nights to Petra. I don't know how they will react when they find out.

Two days before my birthday, I had dinner with my parents at home. While eating, my mother asked me, "Dear, what gift would you like your father and me to bring on your birthday?"

Without hesitation, I replied, "A three-night trip to Petra."

She asked dad, "Ahmed, can we go to Petra for three nights. Do you have time?"

قبِل ما بابا يْجاوِبْها قُلت: "بِدّي أروح بسّ أنا ورامي."

إمّي وأبوي اتْطلّعوا بِبعْض وبابا قال بْهْدوء: "ما بينْفع تْسافِر لحالك."

ردّيْت: "بسّ أنا مُش لحالي. معي رامي."

"يا عزيز، مهُوِّ هاد اللي مْخوِّفْني أكْتر، إنّو رامي لِسّا في حَياتك وكمان بدّك تْسافِر معو؟"

لمّا ماما شافت بابا بدأ يْعصِّب قالتْلي: "حبيبي، اِتْركْنا أنا وأبوك شْوَيّ."

طْلِعت فوْق وما دخلِت غُرْفِتي. قعدِت على الدّرج أسْمع شو بِدْهُم يْقرِّروا.

"أحْمد، شو رأْيَك؟"

"يا ريما، عزيز عُمْرو ما سافر لحالو. أنا خايِف عليْه."

"أنا رأْيي نِسْأل دكْتوْرو. مُمْكِن يْكون عِنْدو وِجْهة نظر مُخْتلِفة."

راح بابا جاب موبايْلو واتّصل بِالدّكْتوْر وحطّو على السّْبيكر عشان ماما تِسْمع.

"مساء الخيْر، دكْتوْر. آسِف لَوْ كُنت رنّيْتْلك في وَقِت مِتْأخّر."

Before Dad answered her, I said, "I want to go alone with Ramy."

My mother and father looked at each other, and dad said calmly, "It isn't good for you to travel alone."

I replied, "But I am not alone. I'm with Ramy."

"Aziz, this is what frightens me the most. Ramy is still in your life, and you want to travel with him?"

When mom saw that dad was starting to get angry, she said to me, "Baby, leave me with your father for a bit."

I went upstairs but did not enter my room. I sat on the stairs and listened to what they wanted to decide.

"Ahmed, what do you think?"

"Rima, Aziz has never traveled alone in his life. I'm worried about him."

"My opinion is to ask his doctor. Maybe he has a different point of view."

Dad picked up his cell phone, called the doctor, and put him on the speaker so that mom could hear.

"Good evening, doctor. Sorry if I called you late."

"مساء النّور، لأ أبداً، طمّني عزيز كْوَيِّس؟"

"آه، بْخيرْ، بسّ كنّْا أنا وريما بِدّْنا نِسْتشيرك بْشغْلِة."

"أكيد، تفْضّلوا."

ماما شرحت للدّكْتوْر: "عيد ميلاد عزيز بعِد يوْمينْ، وبِدّو يْروح على البترْا تلات لَيالي لحالو."

بابا قاطعْها: "يا ريْت بسّ لحالو، رامي معو، يا دكْتوْر. إحْنا مِش رح نخْلص مِن رامي هاد؟"

ماما كمّلت كلامْها: "وقُلْنا نِسْتشيرك قبِل ما نْقول آه أَوْ لأ."

ردّ الدُّكْتوْر وقال: "أنا كُنِت دائماً بحاوِل أخلّي عزيز يِعْمل نشاطات تْخلّيه يِتْعامل مع النّاس بِشكِل مْباشِر مِن غيرْ الاِعْتِماد عليْكُم. شجّعْتو يِعْمل فيْسْبوك مثلاً ورفض. أنا شايِف إنّو ما دام فِكْرِةْ السّفر أجت مِنّو هو، فهاي فُرْصة مْمْتازِة جِدّاً عشان يْطوِّر مهاراتو الاِجْتِماعية."

وكمّل الدُّكْتوْر كلامو:" أنا مِن وِجْهِةْ نظري المِهْنية بشجِّع هاي الخُطْوِة جِدّاً."

"Good evening. Not at all. Is Aziz okay?"

"Yes, he's fine, but Rima and I wanted to consult you with something."

"Sure, go ahead."

Mom explained to the doctor, "Aziz's birthday is in two days, and he wants to go to Petra alone for three nights."

Dad interrupted her, "I wish he was alone. Ramy is with him, doctor. Are we not going to get rid of this Ramy?"

Mom continued, "And we thought to consult you before we say yes or no."

The doctor replied, "I have always tried to urge Aziz to do activities that could expose him to dealing with people directly without relying on you two. I encouraged him to use Facebook, for example, and he refused. I think that as long as the idea of travel came from him, this is a very excellent opportunity to develop his social skills."

The doctor continued, "From my professional point of view, I encourage this step very much."

أوّل مرّة بحِسّ إنيّ بديْت أحِبّ الدُّكْتوْر عارِف. كان كُلّ إشي بيقوليّ ايّاه أعْمِل عكْسو تماماً. فِعْلاً حاوَل يِعْمليّ حْساب على الفيْسْبوك وغيْرو وأنا رفضْت. أنا بحِبّ خْصوصيتي، وما بحِبّ أحْكي مع حدا ما بعْرفو.

❖ ❖ ❖

دقّ باب غُرْفِتي بعِد ساعة تقْريباً.

"اُدْخُل!"

"حبيبي، أنا حكيْت مع بابا ووافق إنّك تْروح، بسّ عَ شرْط."

"شو الشّرْط؟"

"إنّك تْكلِّمْنا كُلّ يوْم مرّة الصُّبْح ومرّة المسا مِن الفُنْدُق. بابا رح يِحْجِزْلك تذْكرِةْ الباصّ وغُرْفِةْ الفُنْدُق مع فْطور وعشا. وفي دليل سِياحي في الفُنْدُق رح ياخْدك مع مجْموعة عشان تْشوف الآثار ويِشْرحْلك عنْها. اِوْعِدْني ما تِنْزل لحالك."

"بَوْعِدِك، بسّ خلّيه يِحْجِز لشخْصيْن."

"حاضِر، رح أقولّو."

For the first time, I felt that I was starting to like Dr. Aref. I used to do the exact opposite of everything he recommended. He tried to convince me to create a Facebook account, but I refused. I love my privacy, and I don't like to talk to strangers.

About an hour later, there was a knock on my bedroom door.

"Come in!"

"Darling, I talked to dad, and he agreed but on one condition."

"What is the condition?"

"To call us every day, once in the morning and once in the evening from the hotel. Dad will book you a bus ticket and a hotel room with breakfast and dinner. There is a tour guide in the hotel that will take you with a group to visit the sites and explain to you about them. Promise me that you won't go out alone."

"I promise, but ask him to book for two people."

"Okay, I'll tell him."

نِزْلت ماما تِحْكي مع بابا وكالعادةِ قعدت على الدّرج أسْمع شو بيقولوا. والله ما أنا عارِف كيف لهلّأ ما اكْتشفوا إنيّ بتْنصّت عليْهُم، ماما حكت لبابا اللي صار، وأوّل ما قالتْلو: "عزيز بِدّو ايّانا نِشْتري تذْكرْتيْن ونِحْجز لشخْصيْن" بابا نرْفز وقال: "كمان أشْتري تذْكرْتيْن؟"

ماما قالتْلو: "معلِشّ يا أحْمد. ما رح تِفْرِق إذا هاد الإشي رح يْريِّحوا."

ردّ بابا: "بسّ يا ريما المَوْضوع صار مُرْهِق. أنا ما عِنْدي أغْلى مِن عزيز. عزيز إبْني وَحيدي وبِدّي اياه يْكون أحْسن واحد في الدِّنْيا، ويْعيش حَياة طبيعية، بيتْعرّف على النّاس، بْيِعْتمِد على حالو، وكمان بِدّي يِتْزوّج. نِفْسي أشوف وْلادو. أنا مُش باقيلو. مين رح يمْسِك الشِّرْكةِ بعْدي؟"

"الله يَعْطيك الصِّحّة وطولةْ العُمْر. لا تْقول هيْك."

"رح أعْمِل اللي بِدّو ايّاه."

بابا بِدّو اياني أكون زيّو، وأنا مِش زيّو وَلا زيّ حدا. هو بيفكِّر إنيّ فاشِل وسبب فشلي هو صاحْبي رامي، بسّ هُوِّ مِش فاهِم إشي.

دخلِت غُرْفِتي عشان أحضِّر شنْطِتي. أخدِت معي كُلّ الأشْياء المِحْتاجْها، أَواعي، بوط للْمشي، سمّاعات، فُرْشايةْ الأسْنان والمعْجون، وشفْرةِ الحِلاقة، وحكيْت مع رامي عشان يْحضِّر حالو ويْلاقيني الصُّبْح عِنْد مَوْقِف الباص.

Mom went downstairs to talk to dad, and as usual, I sat on the stairs, listening to what they said. I wonder how they haven't discovered that I've been listening until now. Mom told dad, and once she told him, "Aziz wants us to buy two tickets and make reservations for two people," he became annoyed and said, "I have to buy two tickets, too?!"

Mom said to him, "It's okay, Ahmed. It's not a big deal if it's going to comfort him."

Dad replied, "But Rima, it's becoming exhausting. I don't have anything more precious than Aziz. Aziz is my only son, and I want him to be the best person in the world, to live a normal life, to get to know people, to rely on himself. And I also want him to get married and to see his children. I won't be around forever. Who will run the company after me?"

"May God give you health and longevity. Don't say this."

"I'll do what he wants."

Dad wants me to be like him, but I am not like him, not like anyone. He thinks that I am a failure and that the reason for my failure is my friend Ramy, but he does not understand anything.

I went into my room to get my bag. I took all the things I needed– my clothes, hiking shoes, headphones, toothbrush and toothpaste, and a razor. And I told Ramy to get ready and meet me at the bus station in the morning.

❖ ❖ ❖

تاني يوْم الصُّبحِ وَصّلْني بابا لمَوْقِف الباص. وقبل ما أنْزل، قالّي: "عزيز، دير بالك على حالك، وانْبسِط، وخُد هاي المصاري، خلّيها معك. وكُلّ سنةِ وإنْتَ سالِم حبيبي."

"شُكْراً بابا. أنا مبْسوط إنّك وافقتِ إنّي أروح."

"يَلّا بلاش يْروح عليْك الباص."

"حاضِر."

نْزِلت مِن السِّيّارة وكان في ناس كْتير عِنْد الباص، بسّ ما شُفِت رامي، كان باقي على مَوْعِد الباص ١٥ دقيقة وبيتْحرّك، حطّيْت شنْطِتي ورُحِت أشْرب شاي في الكافيتيرْيا. خلّصِت كاسةْ الشّاي وقُمِت رُحِت أشوف رامي. لقيْتو مِسْتنّيني عِنْد الباص.

"صباح الخيْر. ليْش اِتأخّرِت؟"

"صباح النّوْر. ما اتْأخّرِت. لِسّه باقي خمس دقايِق على مَوْعِد الباص."

"يَلّا راحت عليْك كاسةْ الشّاي."

"صحّة وعافْيِة. يَلّا نِطْلع؟ الرُّكّاب كُلُّهُم في كراسيهُم."

The next morning, dad dropped me off at the bus station, and before I got out, he said, "Dear, take care of yourself and have fun, take this money and keep it with you. Happy birthday, dear."

"Thank you, dad. I'm glad you agreed that I go."

"Go now, so you don't miss the bus."

"Okay."

I got out of the car. There were many people next to the bus, but I did not see Ramy. There were still fifteen minutes before the bus was scheduled to leave. I put on my backpack and went to drink tea in the cafeteria. I finished the cup of tea, went to look for Ramy, and found him waiting for me next to the bus.

"Good morning. Why are you late?"

"Good morning. I'm not late. There are still five minutes before the bus's scheduled time."

"You missed the cup of tea."

"Bon appetit. Shall we board? The passengers are all in their seats."

طْلِعْنا على الباص، قعدْنا في كراسينا، واِتْحرّكْنا، المسافةِ بْتاخُد مِن تلات لأرْبع ساعات مِن عمّان للْبتْرا عَ الطّريق الصّحْراوي. ما في خمس دقايِق واِلّا رامي نايِم. شكْلو سِهِر إمْبارِح وهو بيحضِّر شنْطِتو. شِكْلي أنا كمان رح أنام شْوَيّ، عشان نوصل مْصحْصِحين.

❖ ❖ ❖

صْحيت على صوْت النّاس بْتِنْزِل مِن الباص. صحّيْت رامي ونْزِلْنا، أخدِت شنْطِتي ودخلِت على الفُنْدُق. كانِت السّاعة تقْريباً ١٠:٠٠ الصُّبِح. رامي دخل الحمّام وأنا رُحِت على مكْتب الاِسْتِقْبال عشان آخُذ مُفْتاح الغُرْفِة. قالتْلي مْوَظّفِةْ الاِسْتِقْبال: "صباح الخيْر، أهْلاً وسهْلاً في البتْرا. مُمْكِن هَويتك لَوْ سمحْت؟"

"صباح النّور، تْفضّلي."

"حجْزك لغُرْفة مُزْدَوِجة. أنا مُمْكِن أعْطيك تخْت كْبير عشان تِرْتاح أكْتر."

"مُمْكِن غُرْفِة بْتخْتيْن لَوْ سمحْتي؟"

"رح أشوف شو مِتْوَفِّر عِنْدي، بعِد إذْنك ثَواني."

"تْفضّلي."

We got on the bus, sat in our seats, and took off. The journey takes three to four hours from Amman to Petra on the desert road. Ramy fell asleep in five minutes. It seems that he was up late getting his bag ready. It seems that I will sleep, as well, to reach Petra fully refreshed.

I woke up to the sound of people getting off the bus. I woke Ramy up, and we got off. I took my bag and went to the hotel. It was around 10:00 in the morning. Ramy went to the restroom while I went to the reception desk to take the room key. The receptionist said to me, "Good morning! Welcome to Petra. Your ID, please?"

"Good morning. Here you go."

"Your reservation is a double room. I can give you a room with a king-size bed, so you get more comfortable."

"Could I have a room with two beds, please?"

"I will check the availability. Give me a second."

"Sure."

بعِد كم دقيقة قالتْلي: "لقيْتْلك غُرْفة بْتخْتيْن بِتْطُلّ عَ البرْكِة. بِتْناسْبك؟"

"آه، مُمْتاز، شُكْراً."

"تْفضّل المُفْتاح. وزميلي رح يْوَصِّل شُنطك للْغُرْفِة. الفْطور مِن السّاعة ٧:٠٠ للسّاعة ١١:٠٠. والعشا مِن السّاعة ٦:٠٠ للسّاعة ٩:٠٠."

كمّلت كلامْها وهِيِّ بْتَعْطيني وَرْقة: "هاد إسْم المُسْتخْدِم وكلِمةْ السِّرّ للإنْترْنت. مُمْكن تِسْتخْدِمو في أيّ مكان في الفُنْدُق."

"مُمْكِن لَوْ سمحْتي مُفْتاح تاني عشان صاحْبي معي."

"أكيد، تْفضّل."

سألتْها: "أيّ ساعة رح تِبْدا الجَّوْلِة؟"

"اليوْم رح تِبْدا السّاعة ١١:٣٠. لِسّه باقي نُصّ ساعة للبوفيْه. مُمْكِن تِفْطر إذا بِتْحِبّ. البوفيْه في الطّابِق الأوّل."

"شُكْراً لذوْقِك."

"أنا إسْمي مرْيَم. إذا احْتجِت إشي ما تِترْدّد تُطْلُب مِنّي."

"أكيد، شُكْراً."

A few minutes later, she told me, "I found you a room with two beds overlooking the pool. Does that suit you?"

"Yes, excellent, thanks."

"Here is your key, and my colleague will take your bags to the room. Breakfast is from 7:00 to 11:00. And dinner from 6:00 to 9:00."

She continued by giving me a paper. "This is the username and password for the internet. You can use it anywhere in the hotel."

"Can you give me a second key for my friend?"

"Sure. Here you are."

"When will the tour start?" I asked.

"Today, it will start at 11:30 am. You still have half an hour for the buffet. If you like, you can have breakfast. The buffet is on the first floor."

"Thank you for your kindness."

"My name is Maryam. If you need anything, don't hesitate to ask me."

"Sure, thank you."

أخد المُوَظّف شُنطي وطِلع يْحُطّها في الغُرْفة. أنا قعدت اِسْتنّيْت رامي في اللّوْبي، وبعِد خمس دقايِق أجا مِن وَراي وقالّي: "ما رح نِفْطر؟ أنا ميِّت جوع."

قُلْتِلّو: "يَلّا، كُنِت مِسْتنّيك. أصْلاً مُش باقي إلّا رُبْع ساعة وبيشيلوا البوفيْه."

طْلِعْنا الطّابِق الأوّل ودخلْنا على المطْعم. كان البوفيْه كْبير وفي ناس كْتير. والأكِل كان كْتير زاكي. الخُضْرة طازة، وخُصوصاً البنْدورة والخِيار. كان في جِبْنِة، لبنِة، زيْت وزعْتر، مرْتديلّا، وكُلّ أنْواع البيْض، مقْلي، مسْلوق، وهاد غيرْ الفَواكِهْ. تُهِت بينْ الأكِل. عبّيْت صحْنيْن واحد إلي وواحد لرامي ورْجِعِت على الطّاوْلة.

"شو رأْيَك في الفُنْدُق؟"

"حِلو كْتير! بْصراحة أبوك دلّعْنا."

"صحّ، المكان حِلو كْتير."

"طيِّب، يَلّا ناكُل علشان نِبْدا الاِحْتِفال بْعيد ميلادك يا صديقي."

"أنا شْبِعِت. رح أسْبُقك على الغُرْفة أغيرّ أَواعِيّ، غُرْفِة رقم ٢١٤."

The employee took my bag and went to put it in the room. I sat and waited for Ramy in the lobby, and after five minutes, he came sneaking from behind me and said, "Won't we have breakfast? I'm starving."

I told him, "Let's go! I was waiting for you. In fact, they will remove the buffet in fifteen minutes."

We went up to the first floor and entered the restaurant. The buffet was huge, and there were many people. The food was very tasty. The vegetables were fresh, especially the tomatoes and cucumbers. There was cheese, yogurt, oil, thyme, mortadella, and all kinds of eggs–fried and boiled–not to mention the fruit! I got lost among the food. I filled two plates–one for me and one for Ramy–and went back on the table.

"What do you think of the hotel?"

"Very beautiful. Honestly, your father has spoiled us."

"Right! The place is so nice."

"Okay, let's eat so we can start celebrating your birthday, my friend."

"I'm full. I'll go ahead of you to the room and change my clothes. It's room number 214."

"تمام. عشر دقايِق ولاحْقك."

❖ ❖ ❖

طْلِعت على الغُرْفِة، فتحْت الباب ودخلِت. الغُرْفِة كانت حِلْوِة وواسْعة. حمّامْها كْبير وبِتْطُلّ على البرِكة. حكيْت مع البيْت مِن تلِفوْن الغُرْفِة طمّنْتْهُم إنّا وْصِلْنا. بعْديْن أخدِت دُشّ سريع ولْبِست. طْلِعت مِن الحمّام لقيْت رامي وَصل الغُرْفِة: "يلّا يا رامي عشان نْلحِّق الدّليل السِّياحي قبِل ما يِتْحرّك مع المجْموعة."

"روح إنْتَ وأنا خمس دقايِق بغيرّ وبلْحقك."

نْزِلت لقيْت المجْموعة في اللّوْبي والدّليل السِّياحي واقِف بيحْكي معْهُم: "جولِتْنا في البتْرا حتاخُد تلات أيّام. اليوْم حنِبْدأ نِتْحرّك السّاعة ١١:٣٠ ونِرْجع ٦:٠٠ عشان يوْم الوُصول. بُكْرا وبعْدو رح نِتْحرّك السّاعة ٩:٠٠. رح نِركب خيْل أَوْ جمل مِن أوّل السّيق للْخزْنِة وبعْديْن نْكمِّل مشي. يا ريْت كُلْكُم تِلْبسوا طَواقي أَوْ شْماغات[1] عشان تِحْميكُم مِن الشّمْس، وَلا تِنْسوا الميّ."

أنا ما كان معي لا طاقية وَلا شْماغ وَلا حتّى ميّ. رُحِت على مْوَظّفِة الاِسْتِقْبال وسألْتْها: "مرْحبا. لَوْ سمحْتي، مِن ويْن بقْدر أشْتري طاقية أَوْ شْماغ؟"

"Fine, I'll follow you in ten minutes."

❖ ❖ ❖

I went to the room, opened the door, and went in. The room was nice and spacious. Its bathroom was large, and it overlooked the pool. I called home from the phone in the room to let them know that we had arrived. Then I took a quick shower and got dressed. I came out of the bathroom to find Ramy in the room. "Ramy, let's go catch the tour guide before he takes off with the group."

"You go. I will change and follow behind you in five minutes."

I went down to the lobby and met up with the group. The tour guide was talking with them. "Our tour in Petra will take three days. Today, we start off at 11:30 and return at 6:00 because today is arrival day. Tomorrow and the day after, we will set out at 9:00. We will ride horses or camels from the starting point of Al-Seek up to the Treasury, and then we will continue on foot. I ask all of you to wear hats or keffiyeh to protect you from the sun, and do not forget water."

I did not have a hat or keffiyeh or even water. I went to the receptionist and asked her, "Hello. Excuse me, where can I buy a hat or keffiyeh?"

---

[1] شْماغ shemagh, or keffiyah–traditional headdress consisting of a square scarf

"أكيد، في محلّ في الدّوْر الأرْضي. كُلّ إشي مَوْجود عِنْدو."

"شُكْراً."

رُحِت اِشْتريْت شْماغيْن واحد أسْوِد وواحد أحْمر، وقزازْتيْن ميّ إلي ولرامي. ورْجعِت لقيْتْهُم بدوا يِتْحرّكوا لأوّل السّيق[1]. أعْطيْت رامي الشْماغ الأسْوَد والميّ ومْشينا معاهُم.

❖ ❖ ❖

وْصلْنا عِنْد الخيْل، رِكِبْنا وبدأ الدّليل يِحْكي: "البترْا أَوْ المدينِة الوَرْدية هِيِّ مِن عجائِب الدِّنْيا السّبْعة، مدينِة منْحوتِة في الصّخِر الوَرْدي. وهذا السّيق هُوِّ الطّريق السّهْل الوَحيد اللي بيوَصِّل لعاصِمِةْ ممْلكِة الأنْباط، طولو ١٢٠٠ مِتِر ومُتَوَسِّط عرْضو ٧ مِتْر، وهاد وَفّر الحِمايِة للْعاصِمِة مِن هجمات الجْيوش، لإنّو مهْما كان الجيْش كْبير، عدد صْغير بيكون في الخطّ الأمامي ومُمْكِن صدّهُم بِسْهولِة."

سأل واحد مِن المجْموعة الدّليل: "طيِّب كيف سقطت البترْا؟"

ردّ الدّليل: "في سنِةْ ١٠٦ ميلادي، حاصر الرّومان المدينِة وقطعوا عنْهُم مصادِر الميّ، واِحْتلّوها بِدون مُقاوَمِة." وكمّل كلامو: "وبِاحْتِلال العاصِمِة اِنْتهت دَوْلِةْ الأنْباط وصارت وِلايِة رومانية."

"Sure, there is a shop on the ground floor. It has everything."

"Thanks."

I went and bought two keffiyehs–one black and one red–and two bottles of water for Ramy and myself. I went back to meet them, and they started moving to the starting point at Al Siq. I gave Ramy the black keffiyeh and the water, and we walked with them.

❖ ❖ ❖

We arrived at the place with horses and rode as the guide started to say, "Petra–or the Pink City–is one of the Seven Wonders of the World, a city carved into the pink rocks. And this Siq is the only easy way to reach the capital of the Nabataean Kingdom. It's 1200 meters in length, and its average width is seven meters. It provides protection for the capital from attacks by armies because no matter how large the army is, only a small number could fit in the front line and can easily be fought off."

Someone from the group asked the guide, "Okay, and how did Petra fall?"

The guide replied, "In the year 106 AD, the Romans besieged the city, cut off the sources of water, and occupied it without resistance." And he continued, "With the occupation of the capital, the Nabatean state ended and became a Roman province."

---

[1] السّيق Al Siq–a narrow gorge that serves as the entrance to Petra, ending at the Treasury.

كان كلامو عن تاريخ العرب والأنْباط مُمْتِع. والجوّ كان لطيف. ومِن غيْر ما نْحِسّ وْصلْنا آخِر السّيق وشُفْنا منْظر خلّاب. شْوَيّ شْوَيّ بدأت تِظْهر لَوْحة منْحوتِة في الصّخِر الوَرْدي، لغايِةْ ما اكْتملت، وشُفْنا الخزْنِة كامْلِة، نْزِلت عن الِحْصان وضلّيْت أتْطلّع في الخزْنِة مِن بعيد، عشان أشوف التّفاصيل. بدوا النّاس يِتْصوّروا، وكان في مُصوّر هْناك، عرض يْصوِّرْنا. اِتْصوّرت صُوَر حِلْوِة أنا ورامي.

ولمّا خلّص تصْوير سألْت المُصوّر: "كمّ حْسابْنا؟"

قالّي: "حْسابك ٥ دنانير. مُمْكِن تعْطيني إيميْلك؟ عشان بُكْرا أبْعتْلك الصُّوَر على الإيميْل."

سألْتو: "مُمْكِن تِطْبعْلي صورة أَوْ صورْتيْن؟ أنا بُكْرا راجِع هوْن وباخْدْهُم مِنّك."

"أكيد، بسّ هيْك حْسابك بيكون ١٠ دنانير. ومِحْتاج رقم موبايْلك عشان نْرتِّب ونِلْتقي هون."

"آسِف بسّ أنا ما بحْمِل موبايْل."

"طيِّب في أيّ فُنْدُق قاعِد؟"

His talk about the history of the Nabataeans and the Arabs was interesting, and the atmosphere was pleasant. Without noticing the distance, we reached the end of Al Siq and saw a view that was majestic. Little by little, a piece of art engraved in pink rock started to reveal itself until it was complete, and then we saw the Treasury. People started to take pictures, and there was a photographer there who offered to take our pictures. He took beautiful pictures of Ramy and me.

And when he finished, I asked the photographer, "How much is the cost?"

He said, "It is five dinars. Can you give me your email so I can email you the pictures tomorrow?"

I asked him, "Can you print one or two pictures for me? I'm coming back here tomorrow, and I'll get them from you."

"Of course, but now it would cost ten dinars. And I need your cell number to arrange and meet here."

"Sorry, but I don't use a cell phone."

"Okay, what hotel are you staying at?"

"في فُنْدُق الموْڤينْبِك، غُرْفة ٢١٤. تْفضّل المصاري."

"شُكْراً، وهاد كرْتي. اليوْم بِاللّيْل أَوْ بُكْرا الصُّبْح بِالْكْتير بحُطّلك الصُّوَر في الاِسْتِقْبال."

أخدِت كرْتو وكان الجِْروب سبقْنا ودخل الخزْنِة.

دخلْنا الخزْنِة وكان الدّليل بيقول: "البدو سمّوها الخزْنِة لإِنُّهم كانوا بيفكّروا إنّو في كنْز في الجرّة الموْجودِة فوْق الواجْهة، بسّ الحقيقة إنُّها قبرِ ملكي."

كمّلْنا جوْلِتْنا مشي. أنا ما كُنِت أتْوَقّع إنّو البتْرا بِهالْكُبُر، وفيها معابِد، مسارِح، بْيوت ومقابِر كْتير، كلُّها منْحوتِة في الصّخِر. فسألْت الدّليل: "كم مساحِةْ البتْرا؟"

ردّ: "مساحِةْ المحْمية الأثرية ٢٦٤ كم٢، واليوْم رح نْشوف ٣٠٪ مِن آثارْها."

وصِلْنا مكان بِشْبهْ الخزْنِة بسّ أكْبر، وقال الدّليل: "هدا الدّيْر، وهُوّ أضْخم معْلم في البتْرا. وزيّ ما إنْتو شايْفين جُوّا في الغُرْفِة في كُرْسِيّيْن وبِالنُّصّ منصّة للإِلهْ. وهذا الدّيْر كان يُسْتخْدم لتكْريم الملِك الإله عُبادة الأوّل."

"At the Mövenpick Hotel, room 214. Here is your money."

"Thank you, and here is my card. Tonight or tomorrow morning at the latest, I will drop the pictures off at the reception."

I took his card. The group was ahead of us and had entered the Treasury.

We entered the Treasury while the guide was saying, "The Bedouins called it Al-Khazneh because they thought there was a treasure in the jar above the facade, but the truth is that it is a royal tomb."

We continued our tour on foot. I did not expect Petra to be that large, with many temples, theaters, houses, and tombs–all carved into the rock. So, I asked the guide, "How big is Petra?"

He replied, "The area of the archaeological reserve is 264 square kilometers, and today we will see 30% of its sights."

We arrived at a place that looks like Treasury but bigger, and the guide said, "This is the Monastery, the largest landmark in Petra. As you see, there are two chairs in the room, and in the middle is a platform for the god. This monastery was used to honor the god-king, Obodas I."

سأل واحد مِن المجْموعة الدّليل: "طيِّب ليْه إسْمو الدّيْر وليْه في صُلْبان محْفورةِ على المنصّة؟ النبطِيّين كانوا مسيحِيّين؟"

ردّ: "لأ ما كانوا مسيحِيّين، بسّ بعْد اِحْتِلال الرّومان البيزنْطِيّين منْطِقةْ بلاد الشّام حوّلوه لديْر للرُّهْبان المسيحِيّين ورسموا هادا الصّليب فوْق المنصّة وصار إسْمو الديْر."

قالّي رامي بْصوْت واطي: "أنا بِدّي أعيش في الدّيْر هاد، وأكون الملِكْ الإلهْ."

ضْحِكت وقُلْتِلّو: "شكْلك أخدت ضرْبةْ شمْس وبلّشْت تْخبِّص."

اِبْتسم وقالّي: "مُش هون الحَياة أحْلى مِن عمّان وأزْمِةْ عمّان؟"

"طبْعاً أحْلى. المجْموعة سبقونا، يَلّا جلالْتك نِلْحقْهُم قبِل ما نْضيع في ممْلكْتك."

ضْحِكْنا ولْحِقْنا الجِروب، وكانت جوْلةْ اليوْم الأوّل خِلْصت، رْكِبْنا الخيْل ورْجِعْنا الفُنْدُق.

❖ ❖ ❖

وإحْنا طالْعين على الغُرْفِةِ نادتْني مُوَظّفْةْ الاِسْتِقْبال: "سيِّد عزيز، مُمْكِن لحْظة لَوْ سمحْت!"

Someone in the group asked the guide, "So, why is it called the Monastery, and why are there crosses engraved on the platform? Were the Nabateans Christians?"

He replied, "No, they were not Christians, but after the Byzantine Romans occupied the Levant region, they turned it into a monastery for Christian monks and painted the cross over the platform, and its name became the Monastery."

Ramy told me in a quiet voice, "I want to live in the Monastery, and I will be the god-king."

I laughed and said to him, "It seems you gotten sunstroke, and you've started raving."

He smiled and said, "Isn't life here better than Amman and its traffic?"

"Of course, but the group is way ahead, your Majesty. Let's follow them before we get lost in your kingdom."

We laughed and followed the group. The first day's tour was over. We rode the horses and returned to the hotel.

As we were going up to the room, the receptionist called to me, "Mr. Aziz, a moment, please!"

رُحْت عِنْدْها: "تْفضّلي."

"في رِسالةِ إلك. والْدك حكى على الغُرْفةِ وما لقاك وطلب مِنّي أقولّك تِحْكي معو أوّل ما توصل، بسّ أنا طمّنْتو وقُلْتِلّو إنّك مع الجِرْوب في الجوْلةِ."

"شُكْراً، هلأ رح أطْلع وأحْكي معو."

لفّيْت عشان أمْشي لقيْتْها بْتِسْألْني: "بْتِحِبّ النّجوم؟"

اِتْطلّعِت عليْها وقُلْتِلْها: "مُش فاهِم."

"اليوْم بعْد الشُّغُل طالْعين على البرّ. اليوْم ما في قمر، وهاد أحْلى وَقِت تْشوف فيه النّجوم ونِشْرب شاي بدَوي." وكمّلت: "بْتِحِبّ تيجي؟"

"آه أكيد!"

اِبْتسمت وقالت: "كْوَيِّس، بعْد العشا بْنِلْتقي هون في اللّوْبي."

مُش عارِف كيف وافقِت بِهالسُّرْعة. هِيِّ عزمتْني أنا بسّ؟ وِلّا الجِرْوب كُلّو رايِح؟ كُنْت مبْسوط وبِنفْس الوَقِت مِتْوَتِّر.

❖ ❖ ❖

طْلِعِت عَ الغُرْفةِ. وكان رامي آخِد شاوَر وبيِلْبس عشان نِنْزِل نِتْعشّى.

I went to her. "Yes?"

"There is a message for you. Your father called the room, and he did not find you and asked me to tell you to call him as soon as you arrive, but I reassured him and told him that you are with the group on the tour."

"Thank you. I'll go upstairs and call him now."

I turned to leave and heard her ask, "Do you like stars?"

I looked at her and said, "I don't understand."

"Today, after work, we are going to the desert. Tonight, there is no moonlight, and that's the best time to see the stars and drink Bedouin tea." And she continued, "Would you like to come?"

"Yes, sure!"

She smiled and said, "Good! After dinner, we will meet here in the lobby."

I don't know how I agreed that quickly. Did she invite me alone? Or is the whole group going? I was happy and, at the same time, nervous.

I went up to the room, and Ramy was taking a shower and getting dressed for dinner.

"شو كانت بِدُّها مِنّك الأمّورة؟" سألْني رامي.

"بابا اتّصل وترك رِسالِة. بِدّو أرْجع أحْكي معو."

"ومالك مُش على بعْضك؟"

"عزمتْني على شاي بدَوي اللّيْلِة في البرّ."

"الْعب يا دوْن جوْان!"

"دوْن جوْان مين؟ أنا عُمْري ما طْلِعت مع بِنِت."

"كُلّ شي إلو بِدايِة يا عزيز. يَلّا جهِّز حالك والْبس وأنا رح أتْعشّى معك وأرْجع عَ الغُرْفِة أنام لإنّو فِعْلاً شكْلي أكلِت ضرْبِة شمْس."

نِزِل رامي عَ المطْعم، وأنا حكيْت مع بابا وطمّنْتو، اِتْحمّمِت ولْبِسِت، ونْزِلِت أتْعشّى.

دخلْت المطْعم. كان ملْيان. دوّرِت على رامي لقيْتو قاعِد على طاوْلة صْغيرة جنْب الشُّبّاك لحالو. رُحِت قعدِت معاه. اِتْعشّيْنا وقبِل ما أقوم لقيْت الجرْسوْن جايّ ومعاه قالِب كيْك وعليْه شمِع! وبدا هُوِّ وباقي المُوَظّفين يْغنّوا: "سنة حِلْوَة يا جميل..."

"What did the cutie want from you?" Ramy asked me.

"Dad called and left a message. He wants me to call him back."

"And why you look weird?"

"She invited me to drink Bedouin tea tonight in the desert."

"Go, go, Don Juan!"

"Don Juan who? I've never been out with a girl before."

"There's a first time for everything, Aziz. Go get ready and dressed. I will dine with you, then come back to the room to sleep because it seems that I really did get sunstroke."

Ramy went to the restaurant, and I called dad to reassure him, took a shower, got dressed, and went down to have dinner.

I went into the restaurant. It was full. I looked for Ramy to find him sitting on a small table next to the window by himself. I went and sat down with him. We had dinner, and before I got up, the waiter came with a cake with candles on it! And he and the rest of the staff started to sing "Happy birthday to you...!"

وبدوا كُلّ النّاس في المطْعم يْغنّوا معاهُم. حسّيْت بِإحْراج بسّ كُنِت مبْسوط. حطوا الكيْك على الطّاوْلة قُدّامي وكان مكْتوب عليْها "مِن بابا وماما لأعزّ عزيز، عيد ميلاد سعيد!"

قالولي اتمْنّى أُمْنِية قبِل ما تِطْفي الشّمِع. غمّضِت عيْوني واِتمْنّيْت إنّي مِن اليوْم أكون بني آدم أحْسن وأخلّي بابا وماما فخورين فيِّ.

طفيْت الشّمِع وقطعْت الكيْكة، والجرْسوْن بدا يْقطِّع ويْوَزّع على النّاس. كانت كيْكِة كْبيرة وبالشُّكولاتة زيّ ما بحِبْها، وكفّت الكُلّ.

أكلْنا الكيْكِة. وقبِل ما نْقوم، رامي أعْطاني عِلْبِة وقالّي: "كُلّ عام وإنْتَ بْخير. هاي هدية بسيطة."

فتحِت العِلْبِة ولقيْت إسْوارة فِضّة وعليْها حْجار فيرْوز. "شُكْراً، رامي! كُنْت مِن زمان بِدّي إسْوارة زيّ هاي. إنْتَ الوَحيد اللي بيعْرف زوْقي كْوَيِّس."

"اِشْتريْتْها اليوْم مِن البترْا. كُنْت مِتأكِّد إنّك رح تْحِبْها. اِلْبسْها عشان تِتْذكّرْني على طول."

And all the people in the restaurant started singing along with them. I was embarrassed, but I was happy. They put the cake on the table in front of me, and on it was written: "From Dad and Mom, to the dearest Aziz, Happy Birthday!"

They asked me to make a wish before blowing out the candles. I closed my eyes and wished that from today on, I would be a better person and make dad and mom proud of me.

I blew out the candles and cut the cake. And the waiters started cutting and distributing [it] to people. It was a big cake with chocolate, as I like it, and it was enough for everyone.

We ate the cake, and before we get up, Ramy gave me a box and said, "Happy birthday! This is a simple gift."

I opened the box and found a silver bracelet with turquoise stones on it. "Thank you, Ramy! I always wanted a bracelet like this. You are the only one who knows my taste well."

"I bought it today at Petra. I was sure you would love it. Wear it so you can remember me always."

"قْياسي بِالضّبْط!"

"يَلّا يا دوْن جْوان، بلاش تِتْأخّر على مَوْعِدك. عيْب تِتْرِك البِنِت تِسْتنّاك. أنا طالع عَ الغُرْفِة أنام وإنْتَ انْبسِط."

❖ ❖ ❖

طِلِع رامي عَ الغُرْفِة، وأنا رُحِت على الاِسْتِقْبال وطلبِت أتّصِل تِلِفون. حكيْت مع بابا وماما وشكرِتْهُم على المُفاجأة الحِلْوِة ورُحِت على اللّوْبي عشان أشوف مرْيَم. وْقِفِت في اللّوْبي دوّرِت عليْها، ما لقيْتْها. قعدِت أسْتنّاها.

وبعْد شْوَيّ صْغيرة إجت بِنْت بِتْقولّي: "عيد ميلاد سعيد!"

رديْت: "شُكْراً." وبعِد ما ركّزِت شْوَيّ، سألْتْها: "مرْيَم؟"

وهِيِّ بْتِضْحك قالتْلي: "آه مرْيَم... ما عْرِفْتْني مِن غيرْ اليونيفورْم والشّعْر الملْموم؟"

"آه بْصراحة، ما عْرِفْتِك."

سألتْني بخِفِّةْ دمّ: "أنو أحْلى؟ هيْك وَلّا بْأَواعي الشُّغْل؟"

جاوَبْتْها: "التِّنين حِلْوين."

"It fits perfectly."

"Come on, Don Juan. Don't be late for your date. You can't leave the girl waiting for you. I'm going up to the room to sleep. You have fun."

Ramy went up to the room, and I went to the reception to make a phone call. I called dad and mom and thanked them for the sweet surprise. Then I went to the lobby to meet Maryam. I stood in the lobby looking around and didn't find her, so I sat waiting for her.

And after a short while, a girl came to me and said, "Happy birthday!"

I replied, "Thank you!" I focused a bit and asked her, "Maryam?"

With a laugh, she said to me, "Yes. Maryam. You didn't recognize me without the uniform and the ponytail?"

"No, honestly, I didn't recognize you."

She asked me humorously, "Which is better? Like this or in my work clothes?"

I answered her, "Both are good."

ضِحْكت وقالت: "شِكْلك دُبْلوماسي. يَلّا بلاش نتْأخّر."

مْشيت معاها وأنا بفكّر إنّي فِعْلاً ما كُنِت صريح لأنُّها بِالفُسْتان والشّعْر المفْرود كانت أحْلى بِكْتير. وَصلْنا سِيّارة جيب حمْرا مكْشوفِة. كانت صافّة في كْراج الفُنْدُق.

رْكِبْنا السّيّارة وقُلْتِلْها: "ما شاء الله سيّارْتك حِلوِة كْتير!"

ردّت: "أنا بحِبّ الصّحْرا وكُلّ إشي بيتْعلّق فيها. عشان هيْك اِشْتريْت جيب رانْجْلر، سيّارة صحْراوية وبْتِقْدر تْشوف السّما وإنْتَ بِتْسوقْها."

"وعشان هيْك بْتِشْتغْلي في البتْرا؟"

"آه، اِتْخرّجِت مِن سِياحة وفنادِق مِن تلات سْنين واِشْتغلِت بْفُنْدُق صْغير في وادي رمّ سنِة بعْديْن جيت هون."

"أهْلِك معِك هون؟"

"لأ، عيْلْتي في عمّان. بنْزِل بشوفْهُم وبشوف صْحابي في عمّان كُلّ أُسْبوعيْن. بقْعُد تلات تيّام وبرْجع."

"عِنْدِك صْحاب كْتير؟"

She laughed and said, "It seems that you are diplomatic. Let's not be late."

I walked with her, thinking that I was really not honest because, with the dress and the straight hair, she was prettier. We approached a red convertible jeep. It was parked in the hotel parking lot.

We got into the car, and I said, "Mashallah, your car is very nice!"

She replied, "I love the desert and everything about it. That's why I bought a Jeep Wrangler, a desert car that lets you see the sky while you are driving."

"Is that why you're working in Petra?"

"Yes, I graduated from tourism and hotel management three years ago and worked in a small hotel in Wadi Rum for a year, and then I came here."

"Is your family here with you?"

"No, my family is in Amman. I go to see them and my friends in Amman every two weeks. I spend three days there, then come back."

"Do you have a lot of friends?"

"آه، في عمّان وهون، وهلأ رح تِتْعرّف على صْحابي اللي في البتْرا."

سكتِت وفكّرتِ: صْحابها؟ في ناس غيرْنا؟ ما قالتْلي. يا ريْتْني قُلِت لرامي ييجي.

وَقّفت مرْيَم السّيّارة وقالت: "مِن هون لازِم نْكمِّل مشي. ١٥ دقيقة بسّ."

طلّعت مِن شنْطِتْها لوكْس وأعْطتْني ايّاه. وقالت: "اليوْم ما في قمر. اِضْوي اللّوكْس واِنْتبِه على خُطْواتك."

طْلِعْنا الجبل وبعِد رُبْع ساعة مشي وْصِلْنا فوْق. كانت الدِّنْيا عِتْمِة، وفي نار مْولّعة وحَوَليْها ناس قاعْدين.

وْصِلْنا، ومرْيَم سلّمت عليْهُم وقالت: "أعرِّفْكُم على عزيز، عزيز هدول صْحابي جود، سامي، رانْيا وكمال."

رحّبوا فِيّ كْتير وقعدْنا، كمال صبّلي كاسِةْ شاي وقال: "أهْلاً وسهْلاً عزيز. تْفضّل شاي بدَوي على الحطب."

"يِسْلموا إيديْك."

"Yes, in Amman and here. And in a bit, you'll meet my friends that are in Petra."

I was thinking in silence: Her friends? Are there people other than us? She didn't tell me. I wish I had told Ramy to come.

Mariam stopped the car and said, "From here, we have to walk. Just 15 minutes."

She took out a flashlight from her bag, gave it to me, and said, "Tonight, there is no moon. Use the flashlight and watch your steps."

We went up the mountain, and after a quarter of an hour, we arrived. It was dark, and there was a fire with people sitting around it.

Maryam greeted them and said, "Let me introduce you to Aziz. Aziz, these are my friends, Joud, Sami, Rania, and Kamal."

They welcomed me warmly, and we sat down. Kamal made me a cup of tea and said, "Welcome Aziz, a Bedouin tea made over firewood."

"Thank you."

شرِبْت الشّاي وقعدْنا نِحْكي ونِتْعرّف على بعْض. أنا ما بتْذكّر في يوم إنّي قعدِت هيْك قعْدِة. في الأوّل كُنِت مِتْوَتِّر وبعْديْن بديْت أحِسّ إنّي مِرْتاح. كانوا ناس طَيِّبين وبيحْكوا عن الطّبيعة وجمالْها، قدّيْش إنّو إحْنا لازِم نْقدِّر الحَياة ونْعيش كُلّ لحْظة فيها.

"عزيز، هات اللّوكْس وتعال. بِدّي أفرْجيك إشي." قالتْلي مرْيَم.

قُمِت معْها ومشينا شْوَيّ. وْصِلْنا لحِفِّةْ الجبل وشُفْنا الخزْنِة مِن فوْق. كانت الأرْض قُدّام الخزْنِة مضْوية بْفَوانيس كْتير. كان منْظر ساحِر.

قُلْت لمرْيَم: "اليوْم كُنِت تحِت، بسّ شكِل الخزْنِة مِن هون إشي تاني."

قالتْلي: "اِطْفى اللّوكْس واِتْطلّع عَ السّما."

اِتْطلّعِت عَ السّما وشُفِت سِجّادِة مِن النُّجوم، تفاصيل عُمْري ما شُفْتْها. النُّجوم كانت واضْحة وكإنْها مُش حقيقية، كإنْها سما تانْيِة مُش السّما اللي في عمّان.

"شايِف؟ على اليَمين كإنّو في غيْمِة بْعيدِة. هاي مجرِّةْ درْب التبّانِة، وهاد نِجِم الشّمال."

I drank the tea while we were talking and getting to know each other. I don't remember being in such a gathering before. At first, I was tense, but then I started to feel comfortable. They were good people, and they talked about nature and its beauty, how we must appreciate life and live every moment in it.

"Aziz, come and bring the flashlight with you. I want to show something," Mariam said to me.

I went with her, and we walked for a bit. We reached the edge of the mountain and saw the Treasury from above. The ground in front of the Treasury was lit with many lanterns. It was a magical sight.

I said to Maryam, "Today, I was down there, but the view of the Treasury from here is something else."

She told me to turn off the flashlight and look at the sky.

I looked at the sky and saw a carpet of stars, details I had never seen in my life. The stars were clear, as if they were not real, as if it were another sky, not the sky in Amman.

"See? To the right, there is something like a cloud. That's the Milky Way. And that's the North Star."

وبدت مرْيَم تْقولّي أسْماء النّجوم والأبْراج اللي في السّما. حسّيْت إحْساس ما حسّيْت فيه قبِل هيْك. حسّيْت إنّو ما في حْدود. حسّيْت بِالحُرّية.

واتْجرّأتِ وسألْت مرْيَم: "ليْش عزمْتيني أنا؟ مع إنّو الجْروب في ناس كْتير."

"لِأنّك مُخْتلِف وشخْصيتك أثارت فُضولي. وحبّيْت أعْرفك أكْتر ولمّا والدك حكى معي وطلب يْرتّب مع المطْعم مُفاجأةْ عيد ميلادك، أثرت فُضولي أكْتر."

وكمّلت كلامْها: "مُمْكن أنا هلأّ أسْألك؟ ليْش جايّ تْقضّي عيد ميلادك في البترْا بعيد عن أهْلك وصْحابك؟ مع إنّو شكِلْهُم بيحِبّوك ومُهْتمّين."

"مِن زمان نِفْسي آجي عَ البترْا، ورامي صاحْبي بيحِبّ البترْا كْتير، وهُوّ صاحْبي الوَحيد. فقُلْنا نيجي نْقضّي عيد ميلادي هون."

"وليْش ما جِبْتو معانا؟ ويْنو هلأّ؟"

"بْصراحة هاي أوّل مرّة واحْدة بْتعِزْمني أطلْع معْها، وما عْرفِت إذا كان مُناسِب ييجي ولّا لأ."

Maryam began to tell me the names of the stars and constellations in the sky. I got a feeling that I had never experienced before. I felt that there were no limits. I felt freedom.

I dared to ask Maryam: "why did you invite me even though there are lots of people in our group?"

"Because you are different. Your personality aroused my curiosity, and I wanted to get to know you more. And when your father talked to me and asked me to arrange with the restaurant your birthday surprise, it aroused my curiosity more."

And she continued, "May I ask you? Why do you spend your birthday in Petra away from your friends and family? It seems that they love you, and they care."

"I always wanted to visit Petra, and my friend Ramy loves it a lot. He's my only friend, so we decided to spend my birthday here."

"Why didn't you bring him with us? Where is he now?"

"Honestly, this is the first time a girl has invited me out, and I didn't know if it was appropriate for him to come or not."

اِبْتسمت وقالت: "أنا كُنت متْأكِّدِة إنّك مُخْتلِف."

"مُخْتلِف بْطريقة كْوَيِّسِة ولّا بْطريقة تانْيِة؟"

"مُخْتلف بِطريقة حِلْوِة."

"بُكْرا رح أعْزِمك إنْتَ ورامي على مكان حِلو، بسّ هلأّ لازِم نْروح عشان كُلْنا عِنّا شُغُل الصُّبْح بدْري." وضِحْكت وقالت: "إحْنا مُش سُيّاح زيّك سَيِّد عزيز."

شكرْت الشّباب على الشّاي ووَدّعْتْهُم ونْزِلْنا أنا ومرْيَم على السّيّارة. وَصّلتْني على الفُنْدُق وقبِل ما أنْزل قُلْتِلْها: "اليوْم كان حِلو كْتير. شُكْراً مرْيَم."

ردّت: "آه، كان يوْم حِلو. كُلّ عام وإنْتَ بْخيْر، عزيز."

"تِصْبحي على خيْر."

نْزِلِت مِن السّيّارة مبْسوط وحاسِس إنيّ شامِم ريحِةْ وَرِد. وفي عصافير بِتْغنّي في قلْبي. ومُخّي صافي، شُعور ما حسّيْت فيه قبِل هيْك، وكإنّو كان في إشي مطْفي وضَوا في صِدْري.

She smiled and said, "I knew you were different."

"Different in a good way or in another way?"

"Different in a beautiful way."

"Tomorrow, I will invite you and Ramy to a nice place, but we have to go back now because we all have work early in the morning." She laughed and said, "We are not tourists like you, Mr. Aziz."

I thanked the guys for the tea and said goodbye to them. Maryam and I went down to the car. She dropped me off at the hotel, and before I got out, I told her, "It was a nice evening. Thank you, Maryam."

She replied, "Yes, it was a lovely evening. Happy birthday, Aziz."

"Good night."

I got out of the car happy and feeling that I could smell the scent of roses as if birds were singing in my heart. And my brain was clear, a feeling that I hadn't felt before, as if the darkness within had turned into light.

❖ ❖ ❖

دخلِت على الغُرْفة بِهُدوء عشان ما أصحّي رامي، مع إنّو كُنِت حابِب أصحّيه وأحْكيلو شو صار معاي وقدّيْش أنا مبْسوط، بسّ هُوِّ ما كان في تخْتو وَلا كان في الحمّام. الوَقِت متْأخّر. بسّ ويْن راح؟

نْزِلت أشوفو في اللّوْبي. ما لقيْتو والمطْعم مْسكّر. سألِت مْوَظّف الاِسْتِقْبال: "في حدا تركْلي رِسالِة؟"

قالّي: "شو رقم الغُرْفِة؟"

"٢١٤"

"آه في رِسالِة إلك."

اِرْتحِت وطلبِت مِنّو يَعْطيني الرِّسالِة، بسّ لِلأسف كان مْغلّف مْسكّر ومطْبوع عليْه إسِم إسْتوديْو التّصْوير. المُصوِّر تركِلْنا الصُّوَر زيّ ما وَعدْنا.

سألْت المُوَظّف عن رامي. قالّي إنو ما شافو وَلا ترك رِسالة. ويْن مُمْكِن يْروح؟ دوّرِت عِنْد البرِكْة وفي الجنيْنِة. ما كان هْناك.

رْجِعِت على الغُرْفِة أشوف لَوْ تركْلي مْلاحْظة. ما لقيْت مْلاحْظة. معْقول زِعِل عشان طْلِعِت مع مريَم وتركْتو؟ بسّ كُلّ أغْراضو مَوْجودِة.

I entered the room slowly so I wouldn't wake Ramy, although I really wanted to wake him up and tell him about what happened and how happy I was. But he was not in his bed or in the bathroom. It's late. Where did he go?

I went down to look for him in the lobby. I didn't see him, and the restaurant was closed. I asked the receptionist, "Has anyone left me a message?"

He asked, "What is the room number?"

"214."

"Yes, there is a message for you."

I was relieved and asked him to give me the message, but unfortunately, it was a sealed envelope with the name of the photography studio printed on it. The photographer had dropped off the pictures as promised.

I asked the employee about Ramy. He told me that he had not seen him, nor had he left a message. Where would he go? I looked for him by the pool and in the garden. He was not there.

I went back to the room to check if he had left a note, but I didn't find a note. Is it possible that he got upset because I went out with Maryam and left him alone? But all his belongings are still there.

تذاكِر الباص التِّنْتين مَوْجودين والفْلوس كُلّها مَوْجودة. يا ترى وِيْنو؟ يمْكِن ما عِرِف يْنام ونزِل يتْمشّى.

قعدِت على السّرير أسْتنّاه، ومِن كُتْر ما كان اليوْم طَويل ومُتْعِب، ما عْرِفِت كيف نمِت.

❖ ❖ ❖

صْحيْت الصُّبْح. رامي مُش في الغُرْفة. لِسّا ما رِجِع. بدأت أدوِّر في الأغْراض. كُلّ أغْراضو هون، حتّى مُفْتاح الغُرْفة تبعو ما أخذو.

نْزِلت على الاسْتِقْبال زيّ المجْنون، ولقيْت مرْيَم واقْفة في مكْتب الاسْتِقْبال.

قُلْتِلْها: "مرْيَم، رامي مِن إمْبارِح برّا وما رِجِع لهلّأ."

مرْيَم لفّت مِن وَرا المكْتب وقالتْلي: "تعال اُقْعُد. شكْلك تعْبان، حتّى أواعيك ما غيرّتْها مِن إمْبارِح."

"مرْيَم، أنا قلْقان على رامي. مُمْكِن يْكون صارْلو إشي."

"يا عزيز اِهْدا. الدِّنْيا أمان هون. ومُمْكِن يْكون اِتْعرّف على حدا وطِلِع سِهِر معْهُم في مُخيّم. هلأّ بِتْلاقيه داخِل يِفْطر معك."

The two bus tickets are there, and the money is all there. Where could he be? Maybe he couldn't sleep and went down for a walk.

I sat on the bed waiting for him, and because of the long, tiring day, I don't know how I fell asleep.

I woke up in the morning. Ramy was not in the room. He still hadn't come back. I started searching through his things. Everything was here. He hadn't even taken his room key.

I went to the reception like a madman, and I found Mariam standing at the reception desk.

I told her, "Maryam, Ramy has been out since yesterday and still hasn't come back."

Mariam came out from behind the desk and said to me, "Come sit. You look tired. You haven't even changed your clothes since yesterday."

"Maryam, I am worried about Ramy. Maybe something bad happened to him."

"Aziz, calm down. It is very safe here, and it's possible that he met someone and went out with them to a camp. Soon, you'll find him, and you'll have breakfast together."

طلبتْلي قهْوة وقعدت تْهدّيني.

قُلْتِلْها: "بِدّي أطْلع على الغُرْفةِ أحْكي مع أبوي."

"خلّيك قاعِد. أنا رح أجيبْلك التِّلِفوْن لعِنْدك."

جابتْلي التّلِفوْن وحكيْت مع بابا: "ألوْ؟ بابا؟ أنا مِن إمْبارِح مُش لاقي رامي. كُنْت برّا ورْجِعت على الغُرْفِة وما لقيْتو. ولهلأّ ما رِجِع وما حدّ شافو!"

"طيِّب حبيبي، بِدّي اياك تِهْدى. وأنا وماما جاييّنْلك حالاً. ورح نْشوف حلّ. خلّيك في الفُنْدُق لِغايِةْ ما نوصل."

"حاضِر، لا تِتْأخّر."

"مسافِةْ الطّريق حبيبي. لا تِقْلق."

سكّرِت مع بابا، ورجّعْت التِّلِفوْن لمرْيَم. وطلبِت مِنْها إنّو إذا رامي بيّن تْخليه قاعِد لِغايِةْ ما أرْجع.

"عزيز، ويْن رايِح؟" سألتْني مرْيَم وأنا طالع مِن باب الفُنْدُق.

"أنا عارِف ويْن مُمْكِن يْكون."

She ordered me a coffee and tried to calm me.

I said to her, "I want to go to the room and call my father."

"Stay still. I'll bring you the phone."

She brought me the phone, and I called dad. "Hello? Dad? I haven't seen Ramy since yesterday. I was out, and when I came back to the room, I couldn't find him. He hasn't shown up so far, and no one has seen him!"

"Okay, dear, I want you to calm down. Mom and I will come to you right now. We will find a solution. Stay at the hotel until we arrive."

"Okay. Don't take too long."

"On our way, dear. Don't worry."

I hung up, gave the phone back to Maryam, and asked her, if Ramy shows up, to have him sit in the lobby until I come back.

"Aziz, where are you going?" Maryam asked me while I was going out of the hotel door.

"I know where he might be."

❖ ❖ ❖

كانت الدِّنْيا بدْري، وما حدا مِن السُّيّاح طِلع مِن الفنادِق. دوّرِت على أيّ حدا يْأجِّرْني حْصان، بسّ ما كان حدا لِسّا مَوْجود، بسّ لقيْت واحد معاه حْمار.

"لَوْ سمحْت، الحْمار لِلإيجار؟"

ردّ عليّ وهو بيمْزح: "صباح الخيرْ أوّلاً! وآه للإيجار ثانِياً."

"طيِّب بِدّي آخْذو لغايِةْ الدّيْر وأرْجع."

"بسّ لِسّا البَوابِة ما فتحت للسُّيّاح."

"لغايِةْ ما أَوْصل بيكونوا سمحوا للنّاس بِالدُّخول."

"زيّ ما بِدّك. ٢٠ دينار لَوْ سمحْت."

"تْفضّل."

رْكِبْت الحْمار واِتّجهِت للبَوابِة. وفِعْلاً أنا كُنْت أوّل واحد مَوْجود، وأوّل واحد بيْدْخُل المحْمية. دخلْت السّيق، بسّ هالمرّة حسيْتو أطْوَل بْعشر مرّات مِن إمْبارِح، وما بيِخْلص، وأوّل ما وْصِلْت الخزْنِة، سألِت واحد مِن الحرس عن أقْرب طريق للدّيْر.

It was early, and none of the tourists had gone out of the hotels. I was looking for someone to rent a horse from, but there wasn't anyone there yet. But I did find someone with a donkey.

"Is the donkey for rent?"

He replied jokingly, "Good morning, firstly! And yes, it's for rent, secondly."

"Okay, I want to take it to the Monastery and back."

"But the gate hasn't yet opened for tourists."

"By the time I reach it, they will start letting people in."

"As you wish. 20 dinars, please."

"Here you are."

I got on the donkey and headed toward the gate, and indeed I was the first one there and the first one to enter the reserve. I entered Al Siq, but this time, I felt that it was ten times longer than yesterday, never-ending. And as soon as I reached the Treasury, I asked one of the guards about the closest path to the Monastery.

وْصِلْت الدّيْر، نْزِلِت عن الحِمار ودخلِت جُوّا. وزيّ ما اتْوَقّعِت لقيْت رامي قاعِد على المنصّة. اِرْتحِت وعصّبِت بِنفْس الوَقِت وصرخِت فيه: "وينْك؟ موّتْني خوْف عليْك!"

قالّي بْكُلّ بْرود: "لمّا تْكون في حضْرةْ الملِك الإلهْ، ما بِتْصيِّح."

"رامي، مُش وَقِت مزْحك هلأ. يَلّا، لازِم نِرْجع على الفُنْدُق عشان أطمِّن أبوي وأخلّيه يِرْجع على عمان قبِل ما يوصل هون."

"لا يا عزيز. خلّيه ييجي عشان ياخْدك. أنا مُش راجِع معك."

"مُش فاهِم. شو قصْدك؟"

"أنا مُش راجِع معك لإنّي ما أجيت معك."

"إنْتَ شكْلك عِشْت الدّوْر وبْتِحْكي بِالألْغاز."

"عزيز، بِدّي أسْألك سُؤال. إنْتَ ليْش ما بْتيجي عِنْدي على البيْت؟"

"ما صدْفت بسّ. مُش لأيّ سبب تاني."

"١٥سنةِ صْحاب وَلا مرّة زُرْتْني؟ أنا بقولّك ليْش، لإنّي ما عِنْدي بيْت."

وكمّل رامي كلامو: "عزيز، بعْد الحادِث اللي عْمِلْناه في باص المدْرسةِ وإحْنا رايْحين رِحْلةْ البترْا، إنْتَ صْحيت مِن الغيْبوبِة بعْد سنتيْن بسّ أنا ما صْحيت."

I reached the Monastery, got off the donkey, and entered. And as I expected, I found Ramy sitting on the platform. I was relieved and angry at the same time, and I shouted at him, "Where were you? I was scared to death!"

He said in all coldness, "When you are in the presence of the god-king, you shall not shout."

"Ramy, it's not the time to joke. Let's go. We have to go back to the hotel so I can reassure my father and ask him to get back to Amman before he arrives here."

"No, Aziz. Let him come to take you back. I will not go back with you."

"I don't understand. What do you mean?"

"I will not go back with you because I did not come with you."

"It seems that you're invested in the role and speaking riddles."

"Aziz, I want to ask you a question. Why don't you ever visit my home?"

"I never had the chance. No other reason."

"Fifteen years of friendship, and not once did you come to visit me? I will tell you why. It's because I don't have a home."

Ramy kept talking, "Aziz, after the accident that we had on the school bus while we were going to the Petra trip, you woke up from a coma after two years, but I did not."

بدا يْصير عِنْدي صُداع، وكلام رامي ضايَقْني.

صرّخِت فيه: "ما بِدّي أتْذكّر الحادِث!! أنا صْحيت ولقيْتك قاعِد جنْبي، مِسْتنّيني أصْحى."

"يا عزيز، أنا ما اسْتحملْت الحادِث. أنا رُحِت فيه."

بدت عْيوني تزْغْلِل وراسي كان رح يِنْفجِر والدِّنْيا بِتْلِف فيّ وأُغْمى عليّ ووْقِعِت على الأرْض.

❖ ❖ ❖

فتّحْت عْيوني، ولقيْت أبوي وإمّي جنْبي. اِتْفرّجِت حَواليّ، لقيْت حالي في غُرْفِتي في البيْت.

ماما قالتْلي بْلهْفِة: "عزيز، حبيبي، حمْدِلله على سلامْتك."

"أنا كيف وْصِلِت هوْن؟"

ردّ عليّ بابا: "لقيْناك مُغْمى عليْك في الدّيْر، وإحْنا جِبْناك على البيْت. كيفك هلّأ حبيبي؟"

"عطْشان. بِدّي أشْرب."

I started getting a headache, and what Ramy was saying irritated me.

At this point, I screamed, "I don't want to remember the accident!! I woke to find you sitting next to me, waiting for me to wake up."

"Aziz, I did not survive the accident. I was gone."

My eyes began to go blurry, and my head was going to explode. Everything was spinning, and I fainted and fell to the ground.

I opened my eyes to find my parents beside me. I looked around and found myself in my room at home.

Mom said anxiously to me, "Aziz, darling, praise be to God for your safety."

"How did I get here?"

Dad replied, "We found you unconscious in the Monastery, and we brought you home. How are you now, sweetheart?"

"I'm thirsty. I want something to drink."

سألِت ماما وهِيِّ بِتْصُبِّلي كاسةْ الميّ: "قدّيْش السّاعة؟ قدّيْش أُغْمى عليّ؟"

اِتْطلّعت في بابا وقالتْلي: "إلك يوْمينْ نايِم."

"جِبْتولي أغْراضي مِن غُرْفِةْ الفُنْدُق؟"

"آه، كُلّ أغْراضك مَوْجودِة هون."

"ماما، مُمْكِن تَعْطيني اللّابْتوْب تبعي؟"

"أكيد حبيبي."

ماما جابتْلي اللّابْتوْب. فتحِت إيميْلي، ولقيْت الإيميْل مِن المُصوِّر. فتحْت الصُّوَر. كُنْت لحالي في كُلّ الصُّوَر. رامي مُش مَوْجود معي. اِتْطلّعِت على بابا وماما وقُلْتِلْهُم: "رامي مات!"

صارت ماما تْعيِّط، وبابا قالّي: "بْنِعْرف يا بابا. وكُلّ ما كُنّا نْقولّك كان يُغْمى عليْك. إنْتَ ما اتْقبّلْت الحقيقة، بس هلّأ إنْتَ عْرِفِت. هاي أوّل مرّة مِن ١٥ سنة بِتْقولْها."

"بابا، ماما، بِدّي أقْعُد لحالي، مُمْكِن؟"

I asked mom, as she was pouring me a cup of water, "What time is it? How long was I out?"

She looked at Dad and said to me, "You've been asleep for two days."

"Did you get my things from my hotel room?"

"Yes, all your stuff is here."

"Mom, can you give me my laptop?"

"Of course, love."

Mom brought me the laptop. I opened my email and found the email from the photographer. I opened the pictures, and I was there alone in all the pictures. Ramy was not there with me. I looked at dad and mom and told them, "Ramy is dead!"

Mom started to cry. And Dad said, "We know. And you would faint every time we told you that. You did not accept the truth, but now you know. This is the first time in 15 years you've said it."

"Dad, mom, I want to be alone. Okay?"

طِلْعوا مِن الغُرْفِة، وبديْت أعيِّط. أنا عِنْدي ١٥ سنِة ذِكْرَيات مع صاحْبي الوَحيد، معْقول كانت كُلُّها وَهِم؟ أنا مِتْذكّر كُلّ المَواقِف والحِكي والضِّحِك اللي بيْنّا. رامي، إنْتَ وَقّفِت معي وكُنِت صديق وَفي حتّى وإنْتَ غايِب، الله يِرْحمك. مُش رح أنْساك.

دقّ باب الغُرْفة وفتْحت ماما الباب وقالت: "في حدا أجا يِتْطّمّن عليْك."

"حمْدِلله على سلامْتك، عزيز." قالتْلي مرْيَم بِابْتِسامِتْها الحِلْوة وهي بْتعْطيني بوكيْه وَرْد.

ومِن هداك اليوْم ما افْترقْنا أنا ومرْيَم. وصارت هِيِّ صاحِبْتي وحبيبْتي ومرْتي، إمّ وْلادي. كمّلِت تعْليمي وبساعِد بابا في الشُّغُل. وكُلّ سنِة بِنْروح نْزور قبرِ رامي... ورامي مرّات بيزورْني.

They left the room, and I started to cry. I have 15 years of memories with my only friend. Is it possible that they were all an illusion? I remember all the situations, the talking, and the laughter that came to us. Ramy, you stood with me, and you were a loyal friend even when you were absent. May God have mercy on you. I will not forget you.

There was a knock on the door of the room. Mom opened the door and said, "Someone is here to check on you."

"Praise be to God for your safety, Aziz," Mariam told me with her sweet smile as she gave me a bouquet of flowers.

And from this day, Maryam and I were never apart. She became my friend, my beloved one, and my wife, the mother of my children. I completed my education and helped dad at work. Every year we go to visit Ramy's grave... and sometimes Ramy visits me.

Arabic Text without Tashkeel

For a more authentic reading challenge, read the story without the aid of diacritics (tashkeel) and the parallel English translation.

البتْرا

"رامي، شو رأيك نروح رحلة؟ أنا وإنت لحالنا؟"

"آه، ليش لأ؟ وين نروح؟"

"ع البترا."

"متى نروح؟"

"يوم عيد ميلادي."

"صح، عيد ميلادك قرب. طيب، إمك وأبوك بيوافقوا؟"

"أنا مش ولد صغير. صار عمري ٣٠ سنة، وبعدين إنت معي."

"بس يا عزيز، إنت عارف إنو أبوك وإمك ما بيطيقوني."

"هاد مش إشي جديد. من أيام المدرسة وهم بيحاولوا يفرقونا عن بعض."

"وكمان أنا مفلس. ما معي مصاري."

"ما في مشكلة. أنا بدبرها."

"طيب ماشي، أنا موافق. رح يكون أحلى عيد ميلاد."

"رح أخبرهم وأقولك عشان تجهز حالك."

أنا عزيز أحمد، شاب أردني. ما كملت تعليمي لأسباب صحية. عمري ٣٠ سنة ولسا عايش مع أهلي. ما اتزوجت ولا عمري حتى اتعرفت على بنت. عندي صاحب

واحد، رامي، صاحبي من أيام المدرسة. كنا ندرس مع بعض. وكتير كان يبات عندي ونقعد نحكي للصبح.

بس أهلي ما بيحبوه لإنهم بيفكروا إنو إلو تأثير سلبي علي. وعلى حياتي الاجتماعية، لأنو من عيلة فقيرة وإحنا أغنيا. حاولوا كتير يفرقونا ولما شافو إنو ما في فايدة، طلبوا مني إني أشوفو في البيت وما نطلع على أماكن عامة. وافقت عشان أرتاح من نقهم. هلأ بدي أسافر معو تلات ليالي ع البترا. مش عارف شو رح تكون ردة فعلهم بس يعرفوا.

قبل يومين من عيد ميلادي، كنت بتعشى مع أبوي وإمي في البيت. وإحنا بناكل إمي سألتني: "عزيز، شو بدك نجيبلك أنا وأبوك هدية في عيد ميلادك؟"

رديت وبدون تردد: "رحلة للبترا لمدة تلات ليالي."

سألت بابا: "أحمد، بنقدر نروح على البترا تلات ليالي؟ عندك وقت؟"

قبل ما بابا يجاوبها قلت: "بدي أروح بس أنا ورامي."

إمي وأبوي اتطلعوا ببعض وبابا قال بهدوء: "ما بينفع تسافر لحالك."

رديت: "بس أنا مش لحالي. معي رامي."

"يا عزيز، مهو هاد اللي مخوفني أكتر، إنو رامي لسا في حياتك وكمان بدك تسافر معو؟"

لما ماما شافت بابا بدأ يعصب قالتلي: "حبيبي، اتركنا أنا وأبوك شوي."

طلعت فوق وما دخلت غرفتي. قعدت على الدرج أسمع شو بدهم يقرروا.

"أحمد، شو رأيك؟"

"يا ريما، عزيز عمرو ما سافر لحالو. أنا خايف عليه."

"أنا رأيي نسأل دكتورو. ممكن يكون عندو وجهة نظر مختلفة."

راح بابا جاب موبايلو واتصل بالدكتور وحطو على السبيكر عشان ماما تسمع.

"مساء الخير، دكتور. آسف لو كنت رنيتلك في وقت متأخر."

"مساء النور، لأ أبدا، طمني عزيز كويس؟"

"آه، بخير، بس كنا أنا وريما بدنا نستشيرك بشغلة."

"أكيد، تفضلوا."

ماما شرحت للدكتور: "عيد ميلاد عزيز بعد يومين، وبدو يروح على البترا تلات ليالي لحالو."

بابا قاطعها: "يا ريت بس لحالو، رامي معو، يا دكتور. إحنا مش رح نخلص من رامي هاد؟"

ماما كملت كلامها: "وقلنا نستشيرك قبل ما نقول آه أو لأ."

رد الدكتور وقال: "أنا كنت دائما بحاول أخلي عزيز يعمل نشاطات تخليه يتعامل مع الناس بشكل مباشر من غير الاعتماد عليكم. شجعتو يعمل فيسبوك مثلا ورفض. أنا شايف إنو ما دام فكرة السفر أجت منو هو، فهاي فرصة ممتازة جدا عشان يطور مهاراتو الاجتماعية."

وكمل الدكتور كلامو:" أنا من وجهة نظري المهنية بشجع هاي الخطوة جدا."

أول مرة بحس إني بديت أحب الدكتور عارف. كان كل إشي بيقولي اياه أعمل عكسو تماما. فعلا حاول يعملي حساب على الفيسبوك وغيرو وأنا رفضت. أنا بحب خصوصيتي، وما بحب أحكي مع حدا ما بعرفو.

دق باب غرفتي بعد ساعة تقريبا.

"ادخل!"

"حبيبي، أنا حكيت مع بابا ووافق إنك تروح، بس ع شرط."

"شو الشرط؟"

"إنك تكلمنا كل يوم مرة الصبح ومرة المسا من الفندق. بابا رح يحجزلك تذكرة الباص وغرفة الفندق مع فطور وعشا. وفي دليل سياحي في الفندق رح ياخدك مع مجموعة عشان تشوف الآثار ويشرحلك عنها. اوعدني ما تنزل لحالك."

"بوعدك، بس خليه يحجز لشخصين."

"حاضر، رح أقولو."

نزلت ماما تحكي مع بابا وكالعادة قعدت على الدرج أسمع شو بيقولوا. والله ما أنا عارف كيف لهلأ ما اكتشفوا إني بتنصت عليهم، ماما حكت لبابا اللي صار، وأول ما قالتلو: "عزيز بدو ايانا نشتري تذكرتين ونحجز لشخصين" بابا نرفز وقال: "كمان أشتري تذكرتين؟"

ماما قالتلو: "معلش يا أحمد. ما رح تفرق إذا هاد الإشي رح يريحوا."

رد بابا: "بس يا ريما الموضوع صار مرهق. أنا ما عندي أغلى من عزيز. عزيز إبني وحيدي وبدي اياه يكون أحسن واحد في الدنيا، ويعيش حياة طبيعية، بيتعرف على الناس، بيعتمد على حالو، وكمان بدي يتزوج. نفسي أشوف ولادو. أنا مش باقيلو. مين رح يمسك الشركة بعدي؟"

"الله يعطيك الصحة وطولة العمر. لا تقول هيك."

"رح أعمل اللي بدو اياه."

بابا بدو اياني أكون زيو، وأنا مش زيو ولا زي حدا. هو بيفكر إني فاشل وسبب فشلي هو صاحبي رامي، بس هو مش فاهم إشي.

دخلت غرفتي عشان أحضر شنطتي. أخدت معي كل الأشياء المحتاجها، أواعي، بوط للمشي، سماعات، فرشاية الأسنان والمعجون، وشفرة الحلاقة، وحكيت مع رامي عشان يحضر حالو ويلاقيني الصبح عند موقف الباص.

❖ ❖ ❖

تاني يوم الصبح وصلني بابا لموقف الباص. وقبل ما أنزل، قالي: "عزيز، دير بالك على حالك، وانبسط، وخد هاي المصاري، خليها معك. وكل سنة وإنت سالم حبيبي."

"شكرا بابا. أنا مبسوط إنك وافقت إني أروح."

"يلا بلاش يروح عليك الباص."

"حاضر."

نزلت من السيارة وكان في ناس كتير عند الباص، بس ما شفت رامي، كان باقي على موعد الباص ١٥ دقيقة وبيتحرك، حطيت شنطتي ورحت أشرب شاي في الكافيتيريا. خلصت كاسة الشاي وقمت رحت أشوف رامي. لقيتو مستنيني عند الباص.

"صباح الخير. ليش اتأخرت؟"

"صباح النور. ما اتأخرت. لسه باقي خمس دقايق على موعد الباص."

"يلا راحت عليك كاسة الشاي."

"صحة وعافية. يلا نطلع؟ الركاب كلهم في كراسيهم."

طلعنا على الباص، قعدنا في كراسينا، واتحركنا، المسافة بتاخد من تلات لأربع ساعات من عمان للبترا ع الطريق الصحراوي. ما في خمس دقايق والا رامي نايم. شكلو سهر إمبارح وهو بيحضر شنطتو. شكلي أنا كمان رح أنام شوي، عشان نوصل مصحصحين.

❖ ❖ ❖

صحيت على صوت الناس بتنزل من الباص. صحيت رامي ونزلنا، أخدت شنطتي ودخلت على الفندق. كانت الساعة تقريبا ١٠:٠٠ الصبح. رامي دخل الحمام وأنا

رحت على مكتب الاستقبال عشان آخذ مفتاح الغرفة. قالتلي موظفة الاستقبال: "صباح الخير، أهلا وسهلا في البترا. ممكن هويتك لو سمحت؟"

"صباح النور، تفضلي."

"حجزك لغرفة مزدوجة. أنا ممكن أعطيك تخت كبير عشان ترتاح أكتر."

"ممكن غرفة بتختين لو سمحتي؟"

"رح أشوف شو متوفر عندي، بعد إذنك ثواني."

"تفضلي."

بعد كم دقيقة قالتلي: "لقيتلك غرفة بتختين بتطل ع البركة. بتناسبك؟"

"آه، ممتاز، شكرا."

"تفضل المفتاح. وزميلي رح يوصل شنطك للغرفة. الفطور من الساعة ٧:٠٠ للساعة ١١:٠٠. والعشا من الساعة ٦:٠٠ للساعة ٩:٠٠."

كملت كلامها وهي بتعطيني ورقة: "هاد إسم المستخدم وكلمة السر للإنترنت. ممكن تستخدمو في أي مكان في الفندق."

"ممكن لو سمحتي مفتاح تاني عشان صاحبي معي."

"أكيد، تفضل."

سألتها: "أي ساعة رح تبدا الجولة؟"

"اليوم رح تبدا الساعة ١١:٣٠. لسه باقي نص ساعة للبوفيه. ممكن تفطر إذا بتحب. البوفيه في الطابق الأول."

"شكرا لذوقك."

"أنا إسمي مريم. إذا احتجت إشي ما تتردد تطلب مني."

"أكيد، شكرا."

أخد الموظف شنطي وطلع يحطها في الغرفة. أنا قعدت استنيت رامي في اللوبي، وبعد خمس دقايق أجا من وراي وقالي: "ما رح نفطر؟ أنا ميت جوع."

قلتلو: "يلا، كنت مستنيك. أصلا مش باقي إلا ربع ساعة وبيشيلوا البوفيه."

طلعنا الطابق الأول ودخلنا على المطعم. كان البوفيه كبير وفي ناس كتير. والأكل كان كتير زاكي. الخضرة طازة، وخصوصا البندورة والخيار. كان في جبنة، لبنة، زيت وزعتر، مرتديلا، وكل أنواع البيض، مقلي، مسلوق، وهاد غير الفواكه. تهت بين الأكل. عبيت صحنين واحد إلي وواحد لرامي ورجعت على الطاولة.

"شو رأيك في الفندق؟"

"حلو كتير! بصراحة أبوك دلعنا."

"صح، المكان حلو كتير."

"طيب، يلا ناكل علشان نبدا الاحتفال بعيد ميلادك يا صديقي."

"أنا شبعت. رح أسبقك على الغرفة أغير أواعي، غرفة رقم ٢١٤."

"تمام. عشر دقايق ولاحقك."

طلعت على الغرفة، فتحت الباب ودخلت. الغرفة كانت حلوة وواسعة. حمامها كبير وبتطل على البركة. حكيت مع البيت من تلفون الغرفة طمنتهم إنا وصلنا. بعدين أخدت دش سريع ولبست. طلعت من الحمام لقيت رامي وصل الغرفة: "يلا يا رامي عشان نلحق الدليل السياحي قبل ما يتحرك مع المجموعة."

"روح إنت وأنا خمس دقايق بغير وبلحقك."

نزلت لقيت المجموعة في اللوبي والدليل السياحي واقف بيحكي معهم: "جولتنا في البترا حتاخد تلات أيام. اليوم حنبدأ نتحرك الساعة ١١:٣٠ ونرجع ٦:٠٠ عشان يوم الوصول. بكرا وبعدو رح نتحرك الساعة ٩:٠٠. رح نركب خيل أو جمل من أول

السيق للخزنة وبعدين نكمل مشي. يا ريت كلكم تلبسوا طواقي أو شماغات عشان تحميكم من الشمس، ولا تنسوا المي."

أنا ما كان معي لا طاقية ولا شماغ ولا حتى مي. رحت على موظفة الاستقبال وسألتها: "مرحبا. لو سمحتي، من وين بقدر أشتري طاقية أو شماغ؟"

"أكيد، في محل في الدور الأرضي. كل إشي موجود عندو."

"شكرا."

رحت اشتريت شماغين واحد أسود وواحد أحمر، وقزازتين مي إلي ولرامي. ورجعت لقيتهم بدوا يتحركوا لأول السيق. أعطيت رامي الشماغ الأسود والمي ومشينا معاهم.

وصلنا عند الخيل، ركبنا وبدأ الدليل يحكي: "البترا أو المدينة الوردية هي من عجائب الدنيا السبعة، مدينة منحوتة في الصخر الوردي. وهذا السيق هو الطريق السهل الوحيد اللي بيوصل لعاصمة مملكة الأنباط، طولو ١٢٠٠ متر ومتوسط عرضو ٧ متر، وهاد وفر الحماية للعاصمة من هجمات الجيوش، لإنو مهما كان الجيش كبير، عدد صغير بيكون في الخط الأمامي وممكن صدهم بسهولة."

سأل واحد من المجموعة الدليل: "طيب كيف سقطت البترا؟"

رد الدليل: "في سنة ١٠٦ ميلادي، حاصر الرومان المدينة وقطعوا عنهم مصادر المي، واحتلوها بدون مقاومة." وكمل كلامو: "وباحتلال العاصمة انتهت دولة الأنباط وصارت ولاية رومانية."

كان كلامو عن تاريخ العرب والأنباط ممتع. والجو كان لطيف. ومن غير ما نحس وصلنا آخر السيق وشفنا منظر خلاب. شوي شوي بدأت تظهر لوحة منحوتة في الصخر الوردي، لغاية ما اكتملت، وشفنا الخزنة كاملة، نزلت عن الحصان وضليت

أتطلع في الخزنة من بعيد، عشان أشوف التفاصيل. بدوا الناس يتصوروا، وكان في مصور هناك، عرض يصورنا. اتصورت صور حلوة أنا ورامي.

ولما خلص تصوير سألت المصور: "كم حسابنا؟"

قالي: "حسابك ٥ دنانير. ممكن تعطيني إيميلك؟ عشان بكرا أبعتلك الصور على الإيميل."

سألتو: "ممكن تطبعلي صورة أو صورتين؟ أنا بكرا راجع هون وباخدهم منك."

"أكيد، بس هيك حسابك بيكون ١٠ دنانير. ومحتاج رقم موبايلك عشان نرتب ونلتقي هون."

"آسف بس أنا ما بحمل موبايل."

"طيب في أي فندق قاعد؟"

"في فندق الموڤينبك، غرفة ٢١٤. تفضل المصاري."

"شكرا، وهاد كرتي. اليوم بالليل أو بكرا الصبح بالكتير بحطلك الصور في الاستقبال."

أخدت كرتو وكان الجروب سبقنا ودخل الخزنة.

دخلنا الخزنة وكان الدليل بيقول: "البدو سموها الخزنة لإنهم كانوا بيفكروا إنو في كنز في الجرة الموجودة فوق الواجهة، بس الحقيقة إنها قبر ملكي."

كملنا جولتنا مشي. أنا ما كنت أتوقع إنو البترا بهالكبر، وفيها معابد، مسارح، بيوت ومقابر كتير، كلها منحوتة في الصخر. فسألت الدليل: "كم مساحة البترا؟"

رد: "مساحة المحمية الأثرية ٢٦٤ كم٢، واليوم رح نشوف ٣٠٪ من آثارها."

وصلنا مكان بشبه الخزنة بس أكبر، وقال الدليل: "هدا الدير، وهو أضخم معلم في البترا. وزي ما إنتو شايفين جوا في الغرفة في كرسيين وبالنص منصة للإله. وهذا الدير كان يستخدم لتكريم الملك الإله عبادة الأول."

سأل واحد من المجموعة الدليل: "طيب ليه إسمو الدير وليه في صلبان محفورة على المنصة؟ النبطيين كانوا مسيحيين؟"

رد: "لأ ما كانوا مسيحيين، بس بعد احتلال الرومان البيزنطيين منطقة بلاد الشام حولوه لدير للرهبان المسيحيين ورسموا هادا الصليب فوق المنصة وصار إسمو الدير."

قالي رامي بصوت واطي: "أنا بدي أعيش في الدير هاد، وأكون الملك الإله."

ضحكت وقلتلو: "شكلك أخدت ضربة شمس وبلشت تخبص."

ابتسم وقالي: "مش هون الحياة أحلى من عمان وأزمة عمان؟"

"طبعا أحلى. المجموعة سبقونا، يلا جلالتك نلحقهم قبل ما نضيع في مملكتك."

ضحكنا ولحقنا الجروب، وكانت جولة اليوم الأول خلصت، ركبنا الخيل ورجعنا الفندق.

وإحنا طالعين على الغرفة نادتني موظفة الاستقبال: "سيد عزيز، ممكن لحظة لو سمحت!"

رحت عندها: "تفضلي."

"في رسالة إلك. والدك حكى على الغرفة وما لقاك وطلب مني أقولك تحكي معو أول ما توصل، بس أنا طمنتو وقلتلو إنك مع الجروب في الجولة."

"شكرا، هلأ رح أطلع وأحكي معو."

لفيت عشان أمشي لقيتها بتسألني: "بتحب النجوم؟"

اتطلعت عليها وقلتلها: "مش فاهم."

"اليوم بعد الشغل طالعين على البر. اليوم ما في قمر، وهاد أحلى وقت تشوف فيه النجوم ونشرب شاي بدوي." وكملت: "بتحب تيجي؟"

"آه أكيد!"

ابتسمت وقالت: "كويس، بعد العشا بنلتقي هون في اللوبي."

مش عارف كيف وافقت بهالسرعة. هي عزمتني أنا بس؟ ولا الجروب كلو رايح؟ كنت مبسوط وبنفس الوقت متوتر.

❖ ❖ ❖

طلعت ع الغرفة. وكان رامي آخد شاور وبيلبس عشان ننزل نتعشى.

"شو كانت بدها منك الأمورة؟" سألني رامي.

"بابا اتصل وترك رسالة. بدو أرجع أحكي معو."

"ومالك مش على بعضك؟"

"عزمتني على شاي بدوي الليلة في البر."

"العب يا دون جوان!"

"دون جوان مين؟ أنا عمري ما طلعت مع بنت."

"كل شي إلو بداية يا عزيز. يلا جهز حالك والبس وأنا رح أتعشى معك وأرجع ع الغرفة أنام لإنو فعلا شكلي أكلت ضربة شمس."

نزل رامي ع المطعم، وأنا حكيت مع بابا وطمنتو، اتحممت ولبست، ونزلت أتعشى.

دخلت المطعم. كان مليان. دورت على رامي لقيتو قاعد على طاولة صغيرة جنب الشباك لحالو. رحت قعدت معاه. اتعشينا وقبل ما أقوم لقيت الجرسون جاي ومعاه قالب كيك وعليه شمع! وبدا هو وباقي الموظفين يغنوا: "سنة حلوة يا جميل..."

وبدوا كل الناس في المطعم يغنوا معاهم. حسيت بإحراج بس كنت مبسوط. حطوا الكيك على الطاولة قدامي وكان مكتوب عليها "من بابا وماما لأعز عزيز، عيد ميلاد سعيد!"

قالولي اتمنى أمنية قبل ما تطفي الشمع. غمضت عيوني واتمنيت إني من اليوم أكون بني آدم أحسن وأخلي بابا وماما فخورين في.

طفيت الشمع وقطعت الكيكة، والجرسون بدا يقطع ويوزع على الناس. كانت كيكة كبيرة وبالشكولاتة زي ما بحبها، وكفت الكل.

أكلنا الكيكة. وقبل ما نقوم، رامي أعطاني علبة وقالي: "كل عام وإنت بخير. هاي هدية بسيطة."

فتحت العلبة ولقيت إسوارة فضة وعليها حجار فيروز. "شكرا، رامي! كنت من زمان بدي إسوارة زي هاي. إنت الوحيد اللي بيعرف زوقي كويس."

"اشتريتها اليوم من البترا. كنت متأكد إنك رح تحبها. البسها عشان تتذكرني على طول."

"قياسي بالضبط!"

"يلا يا دون جوان، بلاش تتأخر على موعدك. عيب تترك البنت تستناك. أنا طالع ع الغرفة أنام وإنت انبسط."

❖ ❖ ❖

طلع رامي ع الغرفة، وأنا رحت على الاستقبال وطلبت أتصل تلفون. حكيت مع بابا وماما وشكرتهم على المفاجأة الحلوة ورحت على اللوبي عشان أشوف مريم. وقفت في اللوبي دورت عليها، ما لقيتها. قعدت أستناها.

وبعد شوي صغيرة إجت بنت بتقولي: "عيد ميلاد سعيد!"

رديت: "شكرا." وبعد ما ركزت شوي، سألتها: "مريم؟"

وهي بتضحك قالتلي: "آه مريم... ما عرفتني من غير اليونيفورم والشعر الملموم؟"

"آه بصراحة، ما عرفتك."

سألتني بخفة دم: "أنو أحلى؟ هيك ولا بأواعي الشغل؟"

جاوبتها: "التنين حلوين."

ضحكت وقالت: "شكلك دبلوماسي. يلا بلاش نتأخر."

مشيت معاها وأنا بفكر إني فعلا ما كنت صريح لأنها بالفستان والشعر المفرود كانت أحلى بكتير. وصلنا سيارة جيب حمرا مكشوفة. كانت صافة في كراج الفندق.

ركبنا السيارة وقلتلها: "ما شاء الله سيارتك حلوة كتير!"

ردت: "أنا بحب الصحرا وكل إشي بيتعلق فيها. عشان هيك اشتريت جيب رانجلر، سيارة صحراوية وبتقدر تشوف السما وإنت بتسوقها."

"وعشان هيك بتشتغلي في البترا؟"

"آه، اتخرجت من سياحة وفنادق من تلات سنين واشتغلت بفندق صغير في وادي رم سنة بعدين جيت هون."

"أهلك معك هون؟"

"لأ، عيلتي في عمان. بنزل بشوفهم وبشوف صحابي في عمان كل أسبوعين. بقعد تلات تيام وبرجع."

"عندك صحاب كتير؟"

"آه، في عمان وهون، وهلأ رح تتعرف على صحابي اللي في البترا."

سكتت وفكرت: صحابها؟ في ناس غيرنا؟ ما قالتلي. يا ريتني قلت لرامي ييجي.

وقفت مريم السيارة وقالت: "من هون لازم نكمل مشي. ١٥ دقيقة بس."

طلعت من شنطتها لوكس وأعطتني اياه. وقالت: "اليوم ما في قمر. اضوي اللوكس وانتبه على خطواتك."

طلعنا الجبل وبعد ربع ساعة مشي وصلنا فوق. كانت الدنيا عتمة، وفي نار مولعة وحوليها ناس قاعدين.

وصلنا، ومريم سلمت عليهم وقالت: "أعرفكم على عزيز، عزيز هدول صحابي جود، سامي، رانيا وكمال."

رحبوا فيي كتير وقعدنا، كمال صبلي كاسة شاي وقال: "أهلا وسهلا عزيز. تفضل شاي بدوي على الحطب."

"يسلموا إيديك."

شربت الشاي وقعدنا نحكي ونتعرف على بعض. أنا ما بتذكر في يوم إني قعدت هيك قعدة. في الأول كنت متوتر وبعدين بديت أحس إني مرتاح. كانوا ناس طيبين وبيحكوا عن الطبيعة وجمالها، قديش إنو إحنا لازم نقدر الحياة ونعيش كل لحظة فيها.

"عزيز، هات اللوكس وتعال. بدي أفرجيك إشي." قالتلي مريم.

قمت معها ومشينا شوي. وصلنا لحفة الجبل وشفنا الخزنة من فوق. كانت الأرض قدام الخزنة مضوية بفوانيس كتير. كان منظر ساحر.

قلت لمريم: "اليوم كنت تحت، بس شكل الخزنة من هون إشي تاني."

قالتلي: "اطفى اللوكس واتطلع ع السما."

اتطلعت ع السما وشفت سجادة من النجوم، تفاصيل عمري ما شفتها. النجوم كانت واضحة وكإنها مش حقيقية، كإنها سما تانية مش السما اللي في عمان.

"شايف؟ على اليمين كإنو في غيمة بعيدة. هاي مجرة درب التبانة، وهاد نجم الشمال."

وبدت مريم تقولي أسماء النجوم والأبراج اللي في السما. حسيت إحساس ما حسيت فيه قبل هيك. حسيت إنو ما في حدود. حسيت بالحرية.

واتجرأت وسألت مريم: "ليش عزمتيني أنا؟ مع إنو الجروب في ناس كتير."

"لأنك مختلف وشخصيتك أثارت فضولي. وحبيت أعرفك أكتر ولما والدك حكى معي وطلب يرتب مع المطعم مفاجأة عيد ميلادك، أثرت فضولي أكتر."

وكملت كلامها: "ممكن أنا هلأ أسألك؟ ليش جاي تقضي عيد ميلادك في البترا بعيد عن أهلك وصحابك؟ مع إنو شكلهم بيحبوك ومهتمين."

"من زمان نفسي آجي ع البترا، ورامي صاحبي بيحب البترا كتير، وهو صاحبي الوحيد. فقلنا نيجي نقضي عيد ميلادي هون."

"وليش ما جبتو معانا؟ وينو هلأ؟"

"بصراحة هاي أول مرة واحدة بتعزمني أطلع معها، وما عرفت إذا كان مناسب ييجي ولا لأ."

ابتسمت وقالت: "أنا كنت متأكدة إنك مختلف."

"مختلف بطريقة كويسة ولا بطريقة تانية؟"

"مختلف بطريقة حلوة."

"بكرا رح أعزمك إنت ورامي على مكان حلو، بس هلأ لازم نروح عشان كلنا عنا شغل الصبح بدري." وضحكت وقالت: "إحنا مش سياح زيك سيد عزيز."

شكرت الشباب على الشاي وودعتهم ونزلنا أنا ومريم على السيارة. وصلتني على الفندق وقبل ما أنزل قلتلها: "اليوم كان حلو كتير. شكرا مريم."

ردت: "آه، كان يوم حلو. كل عام وإنت بخير، عزيز."

"تصبحي على خير."

نزلت من السيارة مبسوط وحاسس إني شامم ريحة ورد. وفي عصافير بتغني في قلبي. ومخي صافي، شعور ما حسيت فيه قبل هيك، وكإنو كان في إشي مطفي وضوا في صدري.

دخلت على الغرفة بهدوء عشان ما أصحي رامي. مع إنو كنت حابب أصحيه وأحكيلو شو صار معاي وقديش أنا مبسوط، بس هو ما كان في تختو ولا كان في الحمام. الوقت متأخر. بس وين راح؟

نزلت أشوفو في اللوبي. ما لقيتو والمطعم مسكر. سألت موظف الاستقبال: "في حدا تركلي رسالة؟"

قالي: "شو رقم الغرفة؟"

"٢١٤"

"آه في رسالة إلك."

ارتحت وطلبت منو يعطيني الرسالة، بس للأسف كان مغلف مسكر ومطبوع عليه إسم إستوديو التصوير. المصور تركلنا الصور زي ما وعدنا.

سألت الموظف عن رامي. قالي إنو ما شافو ولا ترك رسالة. وين ممكن يروح؟ دورت عند البركة وفي الجنينة. ما كان هناك.

رجعت على الغرفة أشوف لو تركلي ملاحظة. ما لقيت ملاحظة. معقول زعل عشان طلعت مع مريم وتركتو؟ بس كل أغراضو موجودة.

تذاكر الباص التنتين موجودين والفلوس كلها موجودة. يا ترى وينو؟ يمكن ما عرف ينام ونزل يتمشى.

قعدت على السرير أستناه، ومن كتر ما كان اليوم طويل ومتعب، ما عرفت كيف نمت.

صحيت الصبح. رامي مش في الغرفة. لسا ما رجع. بدأت أدور في الأغراض. كل أغراضو هون، حتى مفتاح الغرفة تبعو ما أخذو.

نزلت على الاستقبال زي المجنون، ولقيت مريم واقفة في مكتب الاستقبال.

قلتلها: "مريم، رامي من إمبارح برا وما رجع لهلأ."

مريم لفت من ورا المكتب وقالتلي: "تعال اقعد. شكلك تعبان، حتى أواعيك ما غيرتها من إمبارح."

"مريم، أنا قلقان على رامي. ممكن يكون صارلو إشي."

"يا عزيز اهدا. الدنيا أمان هون. وممكن يكون اتعرف على حدا وطلع سهر معهم في مخيم. هلأ بتلاقيه داخل يفطر معك."

طلبتلي قهوة وقعدت تهديني.

قلتلها: "بدي أطلع على الغرفة أحكي مع أبوي."

"خليك قاعد. أنا رح أجيبلك التلفون لعندك."

جابتلي التلفون وحكيت مع بابا: "ألو؟ بابا؟ أنا من إمبارح مش لاقي رامي. كنت برا ورجعت على الغرفة وما لقيتو. ولهلأ ما رجع وما حد شافو!"

"طيب حبيبي، بدي اياك تهدى. وأنا وماما جايينلك حالا. ورح نشوف حل. خليك في الفندق لغاية ما نوصل."

"حاضر، لا تتأخر."

"مسافة الطريق حبيبي. لا تقلق."

سكرت مع بابا، ورجعت التلفون لمريم. وطلبت منها إنو إذا رامي بين تخليه قاعد لغاية ما أرجع.

"عزيز، وين رايح؟" سألتني مريم وأنا طالع من باب الفندق.

"أنا عارف وين ممكن يكون."

❖ ❖ ❖

كانت الدنيا بدري، وما حدا من السياح طلع من الفنادق. دورت على أي حدا يأجرني حصان، بس ما كان حدا لسا موجود، بس لقيت واحد معاه حمار.

"لو سمحت، الحمار للإيجار؟"

رد علي وهو بيمزح: "صباح الخير أولا! وآه للإيجار ثانيا."

"طيب بدي آخذو لغاية الدير وأرجع."

"بس لسا البوابة ما فتحت للسياح."

"لغاية ما أوصل بيكونوا سمحوا للناس بالدخول."

"زي ما بدك. ٢٠ دينار لو سمحت."

"تفضل."

ركبت الحمار واتجهت للبوابة. وفعلا أنا كنت أول واحد موجود، وأول واحد بيدخل المحمية. دخلت السيق، بس هالمرة حسيتو أطول بعشر مرات من إمبارح، وما بيخلص، وأول ما وصلت الخزنة، سألت واحد من الحرس عن أقرب طريق للدير.

وصلت الدير، نزلت عن الحمار ودخلت جوا. وزي ما اتوقعت لقيت رامي قاعد على المنصة. ارتحت وعصبت بنفس الوقت وصرخت فيه: "وينك؟ موتني خوف عليك!"

قالي بكل برود: "لما تكون في حضرة الملك الإله، ما بتصيح."

"رامي، مش وقت مزحك هلأ. يلا، لازم نرجع على الفندق عشان أطمن أبوي وأخليه يرجع على عمان قبل ما يوصل هون."

"لا يا عزيز. خليه ييجي عشان ياخدك. أنا مش راجع معك."

"مش فاهم. شو قصدك؟"

"أنا مش راجع معك لإني ما أجيت معك."

"إنت شكلك عشت الدور وبتحكي بالألغاز."

"عزيز، بدي أسألك سؤال. إنت ليش ما بتيجي عندي على البيت؟"

"ما صدفت بس. مش لأي سبب تاني."

"١٥سنة صحاب ولا مرة زرتني؟ أنا بقولك ليش، لإني ما عندي بيت."

وكمل رامي كلامو: "عزيز، بعد الحادث اللي عملناه في باص المدرسة وإحنا رايحين رحلة البترا، إنت صحيت من الغيبوبة بعد سنتين بس أنا ما صحيت."

بدا يصير عندي صداع، وكلام رامي ضايقني.

صرخت فيه: "ما بدي أتذكر الحادث!! أنا صحيت ولقيتك قاعد جنبي، مستنيني أصحى."

"يا عزيز، أنا ما استحملت الحادث. أنا رحت فيه."

بدت عيوني تزغلل وراسي كان رح ينفجر والدنيا بتلف في وأغمى علي ووقعت على الأرض.

فتحت عيوني، ولقيت أبوي وإمي جنبي. اتفرجت حوالي، لقيت حالي في غرفتي في البيت.

ماما قالتلي بلهفة: "عزيز، حبيبي، حمدلله على سلامتك."

"أنا كيف وصلت هون؟"

رد علي بابا: "لقيناك مغمى عليك في الدير، وإحنا جبناك على البيت. كيفك هلأ حبيبي؟"

"عطشان. بدي أشرب."

سألت ماما وهي بتصبلي كاسة المي: "قديش الساعة؟ قديش أغمى علي؟"

اتطلعت في بابا وقالتلي: "إلك يومين نايم."

"جبتولي أغراضي من غرفة الفندق؟"

"آه، كل أغراضك موجودة هون."

"ماما، ممكن تعطيني اللابتوب تبعي؟"

"أكيد حبيبي."

ماما جابتلي اللابتوب. فتحت إيميلي، ولقيت الإيميل من المصور. فتحت الصور. كنت لحالي في كل الصور. رامي مش موجود معي. اتطلعت على بابا وماما وقلتلهم: "رامي مات!"

صارت ماما تعيط، وبابا قالي: "بنعرف يا بابا. وكل ما كنا نقولك كان يغمى عليك. إنت ما اتقبلت الحقيقة، بس هلأ إنت عرفت. هاي أول مرة من ١٥ سنة بتقولها."

"بابا، ماما، بدي أقعد لحالي، ممكن؟"

طلعوا من الغرفة، وبديت أعيط. أنا عندي ١٥ سنة ذكريات مع صاحبي الوحيد، معقول كانت كلها وهم؟ أنا متذكر كل المواقف والحكي والضحك اللي بينا. رامي، إنت وقفت معي وكنت صديق وفي حتى وإنت غايب، الله يرحمك. مش رح أنساك.

دق باب الغرفة وفتحت ماما الباب وقالت: "في حدا أجا يتطمن عليك."

"حمدلله على سلامتك، عزيز." قالتلي مريم بابتسامتها الحلوة وهي بتعطيني بوكيه ورد.

ومن هداك اليوم ما افترقنا أنا ومريم. وصارت هي صاحبتي وحبيبتي ومرتي، إم ولادي. كملت تعليمي وبساعد بابا في الشغل. وكل سنة بنروح نزور قبر رامي... ورامي مرات بيزورني.

Levantine Arabic Readers Series

www.lingualism.com/lar

شابّ طموح
An Ambitious Young Man
by Ahmed Younis
Levantine Arabic Reader
Levantine Arabic Reader
اللي بيزْرع بيُحْصُد
Where There's a Will
by Ahmed Younis
Levantine Arabic Reader
حَياةْ فاطْمة
Fatimah's Life
by Israa Ramadan
رجْعةْ المدارِس
Back to School
by Raed Bader
Levantine Arabic Reader
البتْرا
Petra
by Raed Bader
Levantine Arabic Reader
ما انْخلقت لحتّى أبْقى
I Was Not Created to Stay
Levantine Arabic Reader
Levantine Arabic Reader
جرّةْ الفلّاح
The Farmer's Jar
by Mona Noureddine
وَرقةْ اليَناصيب
The Lottery Ticket
Levantine Arabic Reader
بْسَيْنات بَيْروت
The Cats of Beirut
by Maha Shehadi
Levantine Arabic Reader
القاتِل الأشْقر
The Blond Killer
by Maha Shehadi
Levantine Arabic Reader
قدّيْش حقّ السّمك؟
How Much Is the Fish?
Levantine Arabic Reader
لَويْن رايْحين؟
Where Are We Going?
by Saad Al-Aayd
Levantine Arabic Reader
Levantine Arabic Reader
خليل و الأكْوان المُتعدِّدة
Khalil and the Multiverse
by Saad Al-Aayd
تحِت شجرةْ اللّوْز
Under the Almond Tree
by Fadi Akkad
Levantine Arabic Reader
Levantine Arabic Reader
عمّي العزيز جاسِم
Dear Uncle Jassim
by Ammar Al-Shaami

Made in United States
North Haven, CT
05 May 2022

18919460R00049